U0130403

同行改寫生命

青少年在成長路上遇到迷失方向，其中一個主要原因是受到身旁朋輩的影響。如果青少年身邊有良朋友伴互相砥礪，相對較容易健康成長；反之則有走上歪路的危機。

「陪伴」是一種看似簡單卻高深的藝術。與年輕人同行，意味著信任和支持；能夠成為年輕人的支持者，是經年累月所建立的深厚關懷。許多父母或師長，都願意擔當這角色。

今年重新出發青年嘉許計劃2020以「同行者」為主題，除了收錄八位得獎青年的成長故事，更特別請來他們各自的支持者留下感言。在陪伴青少年成長的過程中，有喜樂亦有擔憂，這些同行者的心聲，或許可以為其他相同處境的人士帶來啟廸。

有時一個人走在路上，往往只能看見眼前方向，但有同行者便有機會顧及四方，發揮旁觀者清的優勢。當血氣方剛的年輕人不住向前闖，未必能細心察看前方的危機。這個時候，同行者可以提點他們不要走錯路，甚至一步一步陪伴他們，重新找回健康成長的出口。

在此我特別感謝每一位陪伴青年身邊的同行者。各位與年輕人分擔成長中的風風雨雨。在他們最需要的時刻給予支持，引導青年走向光明和正軌，更為社會種下一片美麗的生命樹林。

何永昌

香港青年協會總幹事

二零二零年七月

會長的話

陪伴青少年成長，鼓勵與扶持十分重要，荃灣獅子會四年來支持「重新出發·青年嘉許計劃」，希望藉獎勵形式嘉許努力改進的犯罪違規青少年，以一點心意支持他們改進成長。數年來，見證著不少年青人得獎後善用資助增值自己，逐漸步近理想，我也感到欣慰。

在計劃中，我們深入了解到多位青少年的故事，常常為他們誤入歧途而感到可惜。在我們接觸的違法青少年中，不少也是個性善良，態度積極的孩子，當中大部分是因為在人生際遇裡結識了不良友伴，繼而受到深遠影響。

有說「學壞三日，學好三年」，少年加入了不良圈子後很快便「學壞」，而習慣以後，便很難以一己之力去重新學好。在這些曾經「學壞」的青少年身上我觀察到，能支持他們離開既定圈子，重新回頭的力量，往往是身邊的人的支持和同行，才讓他們得以重新建立理想人生。

這一年參與重新出發評選委員的感受很深，留意到很多年青人行差踏錯，原來都受原生家庭的背景和教育影響，而導致往後的悲劇發生。成長背景不能選擇，但往後人生漫長道路則掌握在自己的手裡。面試的時候看見他們願意反省、改過遷善、貢獻社會，部分得獎者願意用生命影響生命，找到人生目標和方向，令我非常感動。社會的包容、父母的體諒、家人的支持，對他們非常重要。

信念並不等於事實

只要心存正念，犯過錯的青年都可為社會帶來貢獻和影響，期待每位得獎者往後人生發光發亮，令香港變得更加豐盛與和諧。

透過分享與青少年同行的故事，我們也很希望鼓勵社會上更多人願意成為青少年的同行者。有時一句鼓勵，一個機會，便能在年青人改過的路上起著重要的作用。我希望社會大眾都可以給予曾誤入歧途的青少年多一點機會，以關懷陪伴他們踏上正確的人生路，讓年青人向健康豐盛人生出發。

潘俊彥

荃灣獅子會會長

二零二零年七月

「錯不緊要，最緊要懂得
自我覺醒。」 ——小冰

「M K」妹

旺角
Mong Kok

「MK」，是旺角英文名「Mong Kok」的縮寫，因為旺角是叛逆少年的聚腳點，從二千年代開始，這兩個英文字母被賦予新的定義。「MK」代表著反叛行為、新潮或暴露的衣著以及揮霍放浪的生活；男孩子頂著誇張髮型，而女孩子則化上濃妝。這些少年，被帶有貶義地稱為「MK仔」、「MK妹」，卻沒有人願意了解這些流連旺角的孩子，離家多遠。

不願回家的少女

十六歲的小冰，背包掛著一大串搖搖擺擺的毛公仔，磨得發亮的粉紅色指甲忙著按手提電話，穿著超短熱褲和性感上衣，在旺角街頭等遲到的男朋友。這位開始對她不再殷勤的男生，上個星期才認識，小冰已經在他的家睡了三個晚上，今天準備共度交往一周紀念日。

一年前，小冰沒有想過一年後的生活會是這個模樣。

穿校服裙和黑皮鞋的日子，漸漸在小冰的腦海變得模糊，或許她只是不願記起那段生不如死的歲月。初中的小冰是個文靜的女孩，就讀精英班，成績不錯。個性內向的她，沒有主動加入同學的圈子。不知從哪一天起，她開始留意到身邊的同學背著她竊竊私語，不久後班上的同學都躲著她，沒有人願意跟她一起過小息甚至說話。後來，大家對她的厭惡愈來愈明顯，有同學會說她長得很醜，又有人說她故作冷漠，說她一切都很奇怪。

小冰不知道自己是否做錯了甚麼，她只知道班上有位同學帶頭欺凌她。藉著發起杯葛，那位女同學成為了大家的領導者。也許小冰只是剛好性格軟弱，鬧事者看中她不會反抗，便選中了她。羊群效應十分可怕，杯葛行為很快就由一班傳至整級同學，小冰感到整間學校都把她視為不受歡迎人物。言語攻擊比身體的傷害更痛，小冰不明白，為甚麼有些人會如此喜歡長時間折磨另一個人。小冰每天不停思考到底出了甚麼問題，無時無刻都想著別人討厭她甚麼。慢慢地，她自己也開始討厭自己。上學的日子，她只好更獨來獨往，只專注於課本上。她喜歡學習，相信只要堅強，一定可以捱下去。

小冰內向的性格，與她的母親有關。小冰的母親情緒極端，常常與父親吵架，事無大小都會大發雷霆，甚至心情不好便拿小冰出氣。面對母親的打罵，小冰在家只能小心翼翼，不敢亂說話。小冰的爸爸因為長時間工作，很少與她對話，讓作為獨生女兒的小冰，從小沒有建立與人溝通的習慣。因為家裡的事情，小冰相比起同年紀的女孩子，臉上總多了一份陰霾，讓人感覺不好親近，沒想到這樣會使她成為欺凌的對象。

幾年以來，父母吵架的次數愈來愈多，母親甚至常常提出離婚，更把婚姻不快的責任推在小冰身上。小冰害怕回家，更怕上學，所有的情緒加起來，小冰終於在中四那年，被精神科診斷患了抑鬱症和焦慮症，需要接受藥物治療。她也終於向父親坦承在學校被欺負的情況，最後決定退學。

雖然父母感情破裂，然而因為住屋問題，爸爸媽媽仍未能分居。小冰不再是捱打的小女孩，她常常和母親發生激烈爭執，甚至互相動手，關係惡劣得無法共處。

　　　「MK」妹

不再上學，又不想留在家，無所事事的小冰尋找解悶的方法。她開始在網上結識朋友，那些交友網站上的男孩子對她十分熱情，她從來未試過受人如此重視過。而且，她很快便發現到，她穿的布愈少，別人便對她愈加熱情。

那天起，小冰學習化妝，穿上鼻環，穿得性感，走到哪裡都是男孩子的目光焦點。她要成為一個全新的自己，要與從前在校園中低著頭走路的那個女孩不一樣。

你肯珍惜我嗎

被討厭的感覺，小冰多年來都很熟悉，現在有人向她這樣示愛，像在窒息的宇宙中找到空氣。

有人願意愛她，小冰便交出一切，只要能被愛，她甚麼都願意照做，不管交出真心還是身體。小冰決定離家出走，搬到男朋友的家同居。她相信眼前的愛情是命運的答案，從前一切的苦難，都像童話一樣，是為了現在這刻獲拯救的幸福而舖排，為了讓她找到這個愛她的人。

對於小冰十五歲便與人同居，爸爸當然感到震驚。爸爸認為無論家庭環境怎樣，再不開心也不能小小年紀便離家出走。而小冰對爸爸感到失望，覺得為何父親不願意理解她。兩父女因此鬧得水火不容，爸爸更威脅要報警把小冰帶回家。然而小冰心意已決，堅持搬到男朋友的家。

儘管她拋開了一切，幸福的泡沫不久便破了，小冰發現男友另約女生。這一次，小冰對一切感到徹底失望。

嘗試被愛以後，小冰無法接受重新回到孤獨的深淵，她不停以手機程式認識其他人。因為很害怕失去被愛的感覺，小冰同一時間約會幾個男孩子。得到男生的愛錫，是小冰自信心的來源，她只能透過不斷與不同男生交往，來說服自己是重要的。

每一次，男生總是對她十分熱情，而小冰一再真心相信這些人的承諾。然而得到歡快以後，男孩便對她感到厭倦。小冰從來不敢拒絕男生的需要，害怕一旦拒絕了，便會被討厭。其實她每一次開始一段關係，都認真期待這個人會對她付出真愛，但多少甜言蜜語和承諾以後，結局還是一樣。有時她會懷疑自己的價值，是不是只是一件玩具，玩厭了便踢開。愈是自我懷疑，小冰便愈失去自信，自卑讓她變得更沒有底線。

那些男朋友當中有人吸毒，有社團背景，混在那個圈子裡，小冰的生活變得更複雜。她看見男朋友吸毒後登大眼睛，面色發白，覺得很可怕，但她無處可去。

這些關係，有些斷斷續續維持了一年，有些三兩星期便轉換，也試過同一時間與幾個男朋友一起。小冰一年以來，都在不同男性的家裡睡，為了留下來，她只好滿足男朋友，這種生活讓她承受極大的心理壓力。小冰試過吃避孕藥，但副作用是發胖，她既害怕失去吸引力，又很害怕懷孕。多次服用事後避孕藥，讓她的身體狀況變得很差，更害怕染上性病。

她並不享受那種生活，由始至終，小冰自覺不是貪玩的壞女孩，她只是很想被愛而已，然而不知不覺間生活便變成這個模樣：一覺醒來，我睡在一個吸毒的迷糊男人身邊，為甚麼會這樣？

歲月的改變，讓小冰掛著不再清純的面孔，然而她內心仍然渴望真誠；這個外表讓正經的男孩子不會靠近，然而她又無法從心底當一個真正的壞女孩。怎樣做也痛苦和受傷，為甚麼會這樣？

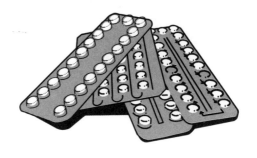

永遠愛我的人

轉眼間快到十七歲，生活愈是混亂，離當初幻想的幸福愈遠。一方面小冰渴望光明的未來，另一方面小冰已經習慣了危險的生活，外表上，她形容自己是一個不折不扣的「MK妹」，為了表現得更懷，她刻意表現得更惡形惡相，現在已經不再有人敢欺負她。可是，因為明白後果，她不想做任何違法的事，也不吸食毒品，結果始終無法成為不良少年的一分子。小冰覺得自己實在不倫不類，甚至比從前更討厭自己。

小冰的男朋友一個比一個差，即使小冰希望天長地久，但那些開始草率的關係只以更多第三者告終，小冰只有覺得自己更蠢，她很懊惱為何自己也不珍惜自己，每當付出過後被背叛，她便覺得內疚、自責和羞愧。

這樣的生活，讓她看不見未來。在迷失的時候，她便會想念父親。這一年以來，父親對小冰的態度也改變了不少，聽取了社工姑娘的意見，爸爸明白到一味反對和責罵女兒只會把小冰愈推愈遠。他開始嘗試去了解女兒的心情和想法，改變溝通方式。這次，小冰跟爸爸談到那些情感和受傷經歷，爸爸心痛不已，這次爸爸不再責罵小冰，而是希望給她溫暖，鼓勵她要珍惜自己，爸爸永遠在等她回家。

一個婚姻破裂的家庭，對家裡每一個人也造成陰影。從小未能從父母身上學習相愛，對小冰而言，她既渴望卻不懂經營一段健康的感情。同時間，破裂的感情也對小冰爸爸留下了創傷，不知不覺間，他也封起了心，不懂如何告訴女兒他的愛。然而，心痛著女兒的爸爸終於向小冰打開心房，即使悲喜，也希望家人能一起分擔，成為彼此的力量，為了不再讓女兒孤單，爸爸願意盡一切努力去愛女兒，希望小冰能重新學會愛惜自己。

父女之間，不止是小冰向爸爸傾訴，爸爸也打開心扉，向女兒坦承婚姻失敗的打擊。現在，小冰已經深深明白到關係帶來的折磨，她希望和爸爸一起面對婚姻危機。從前小冰只會想逃避家庭的壓力，並沒有想過和家人一起承擔。這一次，他們把難處分享以後，互相也給了對方力量，希望給對方一個充滿愛的家。小冰明白爸爸很想保護她，而她亦很想能夠保護爸爸。

小冰真正下定決心回到健康生活的一天，是在十七歲那年。這一年來，每個月也由社工陪同驗孕，每一次也抱著惶恐不安的心情，雖然她明白社工姑娘對她的勸告，但仍無法改變這種生活模式。

這個月，月經遲來了，小冰也感到身體有異常的反應，這一次她靜下來，懷疑自己很大機會懷有身孕，她惶恐得快要瘋掉。面對自己的成長背景，她絕對不想生下另一個不快樂的孩子，但是，如果肚子裡有一個小生命，她又不忍心把寶寶殺掉。面對這種掙扎，小冰感到無比孤單，男朋友為了一時之快而不保護她，往往亦是她自己一個人承受後果。想到這裡，她終於在心裡承認，那些說得多漂亮的愛也是虛偽的。那些男生，根本從來不珍惜自己。她愈想愈生氣，氣那些不負責任的男朋友，但她更氣自己。她想，是我自己不珍惜自己，怎麼會找到珍惜自己的人？她決定要停止接受傷害，要從那些不真實的關係中抽離。

驗孕結果是陰性，小冰鬆了一口氣，但經歷過心理掙扎以後，她已下定決心離開以前那種生活，她跟男生分手，換了新的電話號碼，告別從前那種虛無的生活。

小冰搬回家後，爸爸十分高興，即使下班很累，他也常常陪伴小冰散步談天，為了讓小冰不再覺得孤單無聊，爸爸會跟小冰一起到郊外呼吸新鮮空氣。小冰也很喜歡跟爸爸一起行山做運動和聊天，生活終於回到正軌。

現在，小冰終於明白到，尋尋覓覓以後，永遠愛自己的，始終也是家人。

命運的轉化

有時，小冰也會為命運感慨，如果當初沒有退學，現在已經中學畢業，可能更已經升上大學，人生會很不一樣。她很後悔，如果再給她選擇，她不會停學，更不會結識那班人。後來，她想通了，生命有很多不好的事情，同時也有很多正面的人在幫助她。她很感謝一直陪伴在身邊的社工姑娘，現在每當她有困惑的時候，便會找社工姑娘商量。

小冰從前覺得，一個人的本質是取決於命運，而自己的生命是注定痛苦的。現在小冰重看過往，她想，其實沒有所謂注定的命運，只是從前遇到困難時，不懂得如何求助。如果當初懂得早點找父母和師長商量，可能便能解決學校的事情，也不會走到那些困境。

小冰經歷了認識自己的過程，她已經不再需要用關係去證明自己，而是真正地去認同和接受自我，她希望靠自己尋找快樂，而不是被動地希望他人的愛錫。小冰認為知識能增進一個人的自我價值，努力學習便能改變未來。所以她很喜歡學習，每當學習得到成果，她便能更肯定自己。面對自己心態上的轉變，現在她懂得欣賞自己，覺得自己已經戰勝了從前。

現在小冰準備重返校園，升讀中五，認真準備公開試，希望考上一所好大學。小冰一直以來對人的情感和想法也很有興趣，她的目標是修讀心理學，希望幫助其他脆弱的心靈找到世界的美好。

相信，這顆比昔日更強大的心，會在生命的舞台上發亮。

支持者的話——爸爸
關心與陪伴

小冰是個很懂事的女孩，從小也是很文靜的。可惜在成長過程中，她在學校和家庭都不愉快，作為爸爸，也有責任。她初中時期開始反叛，因為和媽媽關係不好，小冰不喜歡留在家，她開始出街和朋友玩，常常不回家，讓我十分擔心。後來她更患上情緒病，原本她成績好好，卻因為情緒病而一落千丈。小冰的情緒也變得很不穩定，有時可以好好溝通，有時卻情緒反覆。我也告訴自己要忍耐，要體諒女兒。

雖然不太懂得用言語安慰女兒，但我有另一種支持她的方式，就是陪伴，例如和她一起去醫院，也鼓勵她心情放開一點。女兒上學不開心，我也支持她停學，因為我覺得沒有東西比孩子的情緒健康更重要。在她沒有上學的期間，我也會和女兒一起去行山和跑步，希望她到郊外呼吸一下清新空氣，心情會好一點。在相處期間，女兒也慢慢多願意和我談天，我也盡量聆聽，不多加太多意見。

在女兒情緒狀態不好的時候，尤其是嘗試停藥時，有時會變得暴躁，脾氣很大，甚至會扔東西。作為爸爸，看見女兒行為不好，也唯有勸解，盡量告訴自己要放開一點，情緒病令她控制不了自己，她也不想這樣。為了讓女兒情緒穩定，首先我也要學懂自己不要對事情那麼緊張，才不會令小朋友緊張。我會盡量讓家中氣氛輕鬆，讓女兒感到舒服，也會多和她說正面的事情，鼓勵她積極一點，嘗試投入社會。

　　　　「MK」妹

現在女兒大了，也變得懂事。我認為作為家長，有時也真的要等孩子自己「開竅」，急也急不來。雖然社工和父母都經常給她鼓勵的說話，但始終要她自己找到推動力，找到方向並努力向前。在子女迷失的時候，家長的陪伴和鼓勵最為重要。現在女兒找到自己的方向，我也很高興，十分支持她重新上學。她也不再出夜街，生活圈子也變得健康，情緒也更穩定和聽話。爸爸見到這個改變，覺得十分開心。

我希望對女兒說，無論如何，記得要保護自己，爸爸的心願是希望妳開開心心做人，沒有其他心願了，只要妳開心便足夠。

「只要有信念，
　凡事都有可能。」——阿志

挑戰

少年總喜歡競技和挑戰，在同儕之間展現能力，在喝采中挑戰不可能。現在阿志喜歡足球比賽，他在機智與敏捷的較量中找到自信。在這之前，阿志過去沉迷的「競技舞台」，有點不一樣⋯⋯

讓他跑不掉的一雙鞋子

那是一個滾熱的夏天，剛升上中一的阿志，足球活動一場接一場。這個周末，上午踢了一場波後，他們的精力還未耗盡。阿志和傑仔躲進商場裡吹吹冷氣，喝些冷飲消暑。正閒著，手機傳來信息，另一班朋友請他們今晚去草地球場踢波。

「但是我們沒有釘鞋呀！」阿志說。

「呀，到那裡偷一雙吧。」傑仔隨手指一指旁邊的百貨公司。

「好呀！偷就偷！」阿志有點興奮。

阿志覺得這提議可好玩了，從前只在超級市場偷些小東西，在商場「表演」可是第一次。傑仔其實從來沒有偷過東西，那時只是隨口說一下，想不到阿志認真起來。阿志平日常分享自己偷東西的事跡，這麼久以來沒出過狀況，傑仔想了想，覺得可以一試吧，便壯起膽子來，跟著阿志進去百貨公司。

遊戲開始了。

像電玩中的策略遊戲，要過關必須有所部署。阿志教傑仔要找東西掩護，才能把獵物放進袋中，否則會被閉路電視拍到。但是，百貨公司的貨架沒有超市那麼密集，二人趁店員不覺眼，把鞋子用衣服包住，帶入更衣室裡再放進書包。打開更衣室的門後，趁人多混亂離開店舖。

勝利了，二人背著脹鼓鼓的背包，載著滿滿的「成功感」，輕鬆地走到商場走廊上。

等一下，事情好像還未完結。

正感到被人跟隨的瞬間，阿志的膊頭被輕輕一拍⋯⋯

從球場旁邊開始

阿志自小很喜歡到球場玩，可是在阿志眼中，球場邊的「寶藏」比足球更吸引。

從小學三年班開始，阿志常常到球場找朋友消磨時間，小時候只是踢踢波，在公園玩耍。升上小學六年班，孩子們開始有自己的消費意識。阿志從身邊的朋友學到，當有東西想要時，偷錢是最方便的方法。阿志記得，起初他還猶豫的時候，朋友對他說：「無錢買嗎？偷囉！就算給捉到，只是警司警誡而已！怕甚麼呀？」為了不被身邊的朋友認定他是膽小的人，阿志當然要逞強說不怕，玩了才算。

阿志的媽媽在酒樓工作，爸爸是位廚師，父母忙著為口奔馳和照顧弟弟，沒有時間和阿志交談。家對於阿志而言，就是吃飯和睡覺的地方。雖然住在同一間屋內，但對著家人反而覺得陌生，即使有東西想買，他也不習慣開口和父母商量。於是，阿志便自己解決。

球場邊常常有人隨意擺放的背包，成為他們非常喜歡的目標。起初，阿志只是跟著朋友在場邊把風，朋友下手去偷，他會擋在附近掩護，或在附近看著，每次都非常輕鬆便拿到錢包、手錶或耳機。偷過幾次便轉去別的球場，以免被人發現。他們覺得別人的東西放在這裡等你去拿，不拿就笨了。偷到的錢大家一起分去玩，享受不勞而獲的快感。

多看幾次後，阿志便相信偷竊不是難事。升上中學後，他開始在學校偷別人放在櫃桶的錢，整個過程依然是非常簡單，小心看準沒有人時下手，便不會有人發現。

阿志從小喜歡接受挑戰。小學時便會挑戰老師、作弄同學，甚至把膠水倒在老師的座位上，他覺得這樣很刺激。他漸漸覺得挑戰校規太悶了，想挑戰一下法律，覺得會更加刺激。

除了容易下手的學校和球場，他和朋友更開始挑戰商店。在閉路電視、保安和店員的眼底下成功偷出物品，是聰明和能力的考驗。

起初，阿志只是單純地為了錢而偷竊，後來，他漸漸享受這場遊戲。阿志形容，偷竊的感覺「很正」，下手前有點壓力，開始愈來愈緊張，得手後便一下子放鬆。每次偷東西，都像玩遊戲機「打大佬」一樣，充滿緊張刺激和快感。由一條朱古力，到一大包薯片，愈偷愈大件，愈大件愈興奮。偷東西，已經成為阿志的生活習慣，他去街會留意甚麼地方易偷，研究一下好下手的位置，到處都是他的遊樂場。

偷竊，對於阿志來說，不只挑戰保安人員和防盜系統，更挑戰整個社會的規則，對於感到受困於學校各種制度的阿志來說，偷竊成功即是成功超越了規則，他會感到莫名的興奮。

有一年中秋晚上，他和幾個朋友晚上聚在一起無所事事，便相約到超級市場「比賽」。阿志偷到了一大袋零食，甚至拿了一公升裝的汽水、罐頭，如入無人之境。那一晚，大家分享偷到的「戰利品」，比較誰偷得最多、最貴。阿志大顯身手，偷了半箱朱古力，成為大贏家。在他的朋友之間，成功偷到物品所得到的光榮感和認同，比起自己賺錢買到東西還要高。

阿志有時只會偷取別人銀包內少許金錢，不會全部拿走，下手只是因為順手，阿志覺得要留錢給別人吃飯，不能做得太衰。偷到東西，能證明自己的聰明才智，反之，見到有得偷也不拿，才是愚蠢至極。

為偷而偷

「小朋友，你的書包好像有些東西未付錢？」阿志的肩膊被用力壓著，他本能意識想一把掙開，才發現身旁已經有兩個男人夾著他的手臂。

那天，在百貨公司門外，阿志背著剛偷出來的釘鞋，人贓並獲。阿志完全沒有想過會被捉到，那一刻，他的心跳得很快，半刻便急得哭起來了，他想：「今次死了。」

按著阿志的是百貨公司的店員，原來一早留意到他們進入更衣室有點不尋常，看到他們背包脹脹的，便追出來查問。

阿志哭著求店員們不要報警，說願意賠錢了事。身旁的傑仔更是已經哭得不知所措，只懂慌張地抖震。

店員說：「不行啦，你們這麼小便偷東西，一定要報警。」

那一晚，阿志和傑仔原本要到草地球場踢波，想不到被帶到了警署。在警署，他第一時間想到的，不是害怕面對刑罰，而是不知如何面對家人。他從來沒有想過，如果有一天家人知道他是小偷，父母會怎樣看待他。

傑仔的祖母最先到警署，一來到便對傑仔痛罵。傑仔又驚又慚愧，坐在一角哭得很慘。阿志覺得自己連累了傑仔，要不是自己興高采烈地支持這個危險的提議，他們便不會落得這個境地。

阿志的父親也到警署了。一見到阿志，爸爸便激動地說：「衰仔，做甚麼學人偷東西？又不是沒鞋著，又不是冇錢！」說著時，聲音也震了。

這句話，穿透了阿志的心。他感到爸爸不只生氣，更是失望和痛心。看到自己讓家人如此丟臉，在那一刻，阿志又傷心又愧疚，說不出話來。

他想，我還是爸爸疼愛的兒子嗎？已經沒有面目辯白，想著便慚愧得哭起來。

被送進警署時是黃昏，辦好手續後，已是半夜凌晨。他跟著爸爸的背影步出警署，爸爸一言不發，那一段回家的路只走了十分鐘，卻感到無比漫長。既是心裡難受，又怕回家會被爸媽痛打。

回家後，爸爸大力關門。一家人，良久沒有說話。

過了半刻，爸爸按下情緒，和媽媽一起與阿志坐下來。爸爸已收起怒氣，然而仍帶著事態嚴重的語氣，問兒子：「你為甚麼偷東西？」

阿志想不到，爸爸不是要罵他，而是了解他的想法。他們父子，發生了這樣的事後才第一次這樣認真對話。

阿志回答他只是貪玩，把事情始末誠懇道來。阿志深深感到父母的關心，更是讓他十分緊張，又慚愧又感動。

阿志堅定地答應父母：「我應承你們，以後不再偷竊。」

另一次「貪玩」

那次偷竊事件後，阿志接受了警司警誡，決心不再偷竊。可是，他貪玩衝動的性格還未改。阿志小學時是班上的頑皮學生，和女同學玩耍時沒有分寸，喜歡動手動腳作弄同學。誰知這些毛病，使他釀成大禍。有一天，阿志回家時，看到一個女生的背影，乍看之下很像他的小學同學，阿志便從後撲上前摟著女孩的頸。女生嚇壞了，掙扎時一失腳與阿志一同扭在地上，阿志才發現那是一個陌生女孩，驚慌失措之下拔腿就跑掉了。

阿志心知這次闖禍了，本想找個地方躲藏，怎料收到父親的電話，警察已經上門找他。

這一次，可是面對非禮的指控，加上才剛接受了警司警誡，很有機會被判刑事，甚至要進男童院，父母也比上次更擔心。

警方說，這次事件嚴重，阿志須面對更多司法程序，他經歷認人、撰寫心理報告和上庭，感到更大的壓力。雖然這次犯事不是出於故意，但眼見父母為自己憔悴擔憂，阿志深深為自己行事莽撞感到懊悔。

由於證據不足，控罪改為普通襲擊。在庭上，阿志已經打定輸數，短時間內兩次犯事，相信自己會被判入男童院。雖然如此，阿志的母親仍然為他竭力求情，母親對法官哭著說兒子原本很善良，是自己只顧上班，沒有好好陪伴兒子，才使他交了損友學壞。母親懇求法官再給她機會陪伴和教導兒子，不要判他離家到男童院。爸爸也說，日後會幫媽媽做家務，分擔照顧孩子的責任。

聽到父母情切地自責，阿志心如刀割。他感受到父母對他的不離不棄，這份愛超越了一切，母子在庭上，流下刻骨銘心的眼淚。

法官聽信了父母的求情，判了阿志感化令。這一次，阿志決定洗心革面，不只不要再犯錯，更要腳踏實地做一個好青年。而母親亦遵行了對法官的承諾，辭去了工作，留多點時間陪伴兒子，又接他放學。這些付出，阿志放在心中，十分感動。

三個人的改變

在法庭上，法官對阿志父母說，親子之間的溝通很重要，鼓勵父母多和阿志聊天。這次之後，原本不習慣把關心說出口的父母，每天晚上與阿志坐下來聊天，由吃了甚麼早餐開始，乃至在學校發生的日常瑣事。起初阿志不太習慣，但他慢慢發現，原來自己很喜歡跟媽媽談天，覺得很有家的感覺。那次事件之後，阿志發現父母比從前少了爭吵，家裡氣氛變得舒服，現在的他開始喜歡留在家中。因為媽媽多了陪自己，阿志減少出街玩的次數。其實阿志很喜歡和媽媽待在一起，雖然說阿志經歷過不少風波，但其實也只是一個十二歲的孩子。

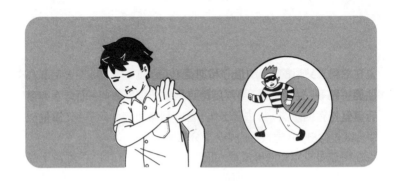

從前的朋友有再叫阿志一起偷竊，但阿志堅定地拒絕了。一來他不想父母傷心，二來想起被捕的恐懼，再好玩也不足以抵償。那次之後，阿志每次有偷竊的念頭，便會記起被捕一刻的感覺，這份感覺讓他不再受到引誘。

慢慢地，他習慣了和父母聊天，阿志把心聲說出來，其實他的夢想是當個足球員。從前的他，一定不會把這話說出口，因為怕父母反對，甚至責罵他不用功讀書。然而，經歷過種種事情，阿志的父母也學會了了解孩子才是最重要。

爸爸支持阿志參加球隊，他說：「讀書成績不好不要緊，有自己優秀的一面最重要。」阿志想不到爸爸會鼓勵他去嘗試，亦感受到原來自己受父母欣賞。

小時候阿志以為父母不在意自己，但現在感受到肯定，覺得有信心去試一試。

原來一份重要的肯定，不需要挑戰保安系統，只需要父母一句欣賞，就是這麼簡單。

更大的挑戰

現在的阿志，乘著父親的信心和期待，決心向足球員的夢想進發。他變得踏實，從前不願意努力訓練，現在多刻苦的體能操練，都能認真堅持。

現在阿志是校隊和區隊成員。可是，因為感化令在身，令阿志不能參與晚間訓練，使他不能參加今年的比賽，但阿志說，他並沒有感到不忿，而是珍惜這一次人生教訓，讓他認清目標，知道甚麼對自己最重要。他也告訴自己，要加倍努力，把失去的機會追回來。

阿志再一次找到讓他滿腔熱血的挑戰。這一次，挑戰不再是偷偷摸摸地在球場邊，而是光明正大地在球場內。更重要的是，他的汗水，能讓父母為他拍手喝采。

支持者的話——爸爸
與孩子重拾溝通

志仔由細到大也很聽話，不用我們操心。但是，在小學五年班起，他便開始反叛，我和媽媽都以為這是青少年成長的必經階段，沒有特別擔心。然而，有一天突然收到社工的消息，表示志仔有偷東西的習慣，令我非常驚訝。而在他小學畢業後的那個暑假，更因與人打架而被捕，當收到警察的電話時，我們都很愕然，到那一刻才知道他真的學壞了。

那時候，我和媽媽才驚覺我們原來一直是疏忽了兒子，沒有及早多加留意他。因為由四年班開始，我們便讓他自行上學及放學，志仔大概就是在這個時候結識了壞朋友。志仔在六年班因為偷東西被捕了，需要接受感化，我們也很自責。我是做廚師的，工作時間比較長，那段時間，我和媽媽也要上班，每天早出晚歸，志仔只得婆婆照顧，我們也沒有多溝通。我們以為志仔每天到樓下公園只是打打波，沒想到他原來在那個機會結識了壞人。收到警察電話那天，真的很突然，媽媽也嚇得哭了。知道他偷了波鞋，我第一反應是不敢相信他會做這些事。

我雖然很生氣，但冷靜下來，還是覺得最重要是去想如何幫助他。因為我兒子本性不壞，只是不小心走錯了，我們作為父母，我想這時候應該是要好好陪伴他過渡這個難關。起初都不知道可以怎樣處理，後來社工告訴我，要多點關心孩子。我們便每天抽時間和孩子談天，問他生活如何，夠不夠錢用，有沒有甚麼需要等等。後來兒子也習慣了有事一起商量。

幸好，志仔終於學好了，他說：「我以後會聽話，不會再做錯事」。現在志仔少了出街，也聽我們勸告，不再和壞朋友玩，現在甚至會幫媽媽做家務。雖然志仔成績不好，但只要他不學壞，做喜歡做的事就好。志仔喜歡踢波，也踢得很好，體育成績有 A，我也很支持他，會去看他比賽。

雖然平時不懂說很多讚賞的話，但我想跟志仔說，其實爸爸很欣賞你心地善良。常常聽你去做義工，爸爸很感動。希望你努力做人，不要做壞事，有甚麼不開心，就跟爸爸說，爸爸媽媽一定會幫你。

「飯要一啖一啖食，
　路要一步一步行，
　不要走錯捷徑。」——阿勝

校園裡，人人穿著一式一樣的制服，跟一樣的時間表，上一樣的課堂。每一個孩子也想成為注目的那一個，在人群中被看見。阿勝是個屋邨長大的平凡孩子，個子不算高大，成績平平，運動不是很出色，也沒有甚麼興趣和理想。他也想爭氣，只是在傳統的學校卻總是無法展現光芒。不知從何時起，阿勝明白到，作為一個平凡人，最平凡地出人頭地，就是變得富有。然而在小小的年紀，他選擇了一條錯的捷徑。

朋友

阿勝來自一個普通的家庭，爸爸是夜班工廠技工，媽媽是家庭主婦。他有兩個弟弟妹妹，家裡不算富有也不算貧困。因為媽媽忙著照顧弟妹，阿勝很小就習慣自己找朋友去玩。從小學一年班起，阿勝便每天到公園找朋友玩。隨便告訴媽媽被老師罰留堂，便和朋友玩至晚飯才回家。媽媽有時明知他說謊，但見阿仔回家還是聽聽話話，那就不太管了。

阿勝覺得讀書很無聊，也不喜歡待在家裡溫習，他只喜歡和朋友待在一起。起初也只是一起打波，到公園遊玩。到四年班時，他於朋友圈子裡面結識到不良少年。小孩子的思想其實很簡單，朋友就是阿勝的整個世界，朋友跟誰玩，他就跟誰玩。就是這樣，阿勝十二歲開始「跟人」，加入了黑社會。

大概阿勝也沒有很了解「黑社會」是甚麼，只知道就是和一大班朋友無所事事地聚在一起。漸漸阿勝回家的時間愈來愈晚，媽媽每每問起，他都說：「朋友生日啊。」搪塞過去。媽媽雖然很擔心阿勝，但只怕孩子愈鬧愈不回家，不知道如何是好。

升上中學以後，阿勝身邊的朋友開始不再只是在公園和球場內流連，而是到機舖和酒吧，他們開始食煙飲酒，打扮得新潮，去結識異性。阿勝的日常活動也跟隨朋友變得複雜，從前大家聚在一起玩樂，只需要一個籃球和一雙球鞋。現在卻需要各種煙酒，名牌衣服，甚至是毒品。

　　　　爭氣

阿勝從來沒有想過要做犯法的事情，但眼見身邊的朋友，不知為何突然有錢買名牌球鞋，又有花不盡的錢到處飲酒吃喝？原來他們都在「搵快錢」。阿勝也沒有想太多，他只想自己也能做一樣的事情，朋友做的，他也想做。原來他的朋友們，在販賣毒品——K仔。阿勝眼見朋友已經販賣了好一陣子，也沒有遇到甚麼危險，心想他還這麼年輕，即使是賣毒品也應該很安全，於是他便開始毒品送運工作。

輕易地得到大量快錢，阿勝從未試過這種成功感。阿勝很享受金錢帶來的虛榮感，有了錢，他可以隨意地請朋友食飯飲酒，在朋友中受到重視。從前只是他跟隨朋友，現在是朋友跟著他到處走，阿勝終於感到自己是個出色的人。

疑惑

阿勝其實沒有想太多，他只是想成為朋友間了不起的人。朋友穿名牌，他便買更多更漂亮的。朋友滿身紋身，他也去紋。十四歲時，在背部紋了一隻大貔貅，聽人家說貔貅可以吸財。朋友都覺得這個紋身很有型，於是，他又忍住痛在心口、臀部紋了些鬼頭公仔。紋了身，社團內的前輩們才覺得他大個仔。

父母看見紋身，當然是破口大罵，罵他為甚麼做死飛仔。阿勝只覺得父母是另一個世界的人，不明白他在做甚麼，再解釋也無意義。比起父母，社團內前輩的話在阿勝心目中更有分量，他每天都想爭取那些大人們的認同。

阿勝已經不像初中那時，會找些借口告訴父母為甚麼晚回家。現在，他索性不接聽媽媽的電話。有時一天有幾十通未接來電，看到電話來，他覺得煩了，索性隨手拿起電話：「你很煩呀，就這樣吧！」便收線把電話丟開。

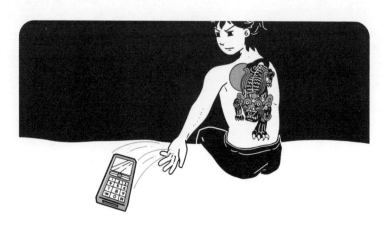

爭氣

從事這些非法活動，就算不是自己被捕，遲早也會被人告密，阿勝只能過得一天就是一天，不敢想將來。阿勝有時也會想，如果可以賺到大筆本錢，自己做老闆就好了，但他也不知道要做甚麼生意，但只想有更多錢，不用自己做跑腿，輕鬆一點。但他和朋友們終日無所事事，在街頭到處消遣，無事又喜歡賭錢，始終也沒有錢剩下來，做生意的想法也只是空想。這樣的生活，過了兩年多，阿勝開始愈來愈迷失。

阿勝原本簡單的世界，變得更複雜。原本他只想尋求快樂，卻看見更多不想看見的東西。

他看到有人因為要買毒品，害得整個家庭生計不支。有人為了要還毒品貨錢，跪在家人面前討錢。社團的人手段殘忍，賣毒品的當然不會理他人死活，他們為了賺錢，常給那些癮君子賒貨，迫他們還錢時才露出狼相。阿勝見過有人被禁錮起來虐待，毒打至一身傷。他不忍心，不願去做那些打人的位置，寧願賺少點。他雖然覺得毒品害了很多人，但他說服自己不要理，不要去想，每天繼續以紙醉金迷的生活麻醉自己。

斷點

轉眼之間，阿勝已經十六歲。升上中四以後，他繼續無心向學，放學繼續和朋友聚在一起，當然不少得做他的「兼職」。經過一年多，阿勝對於運送毒品的方法已經相當純熟，不但不再緊張，更覺得一眼便認得出誰是警察。他相信「愈危險的地方便愈安全」，他會把毒品放在褲袋中，方便碰到疑似警察時，便把毒品丟走甩身。一直以來，他都以此方法避過搜查。起初，他會很留意周圍的人和事，日子久了，成為了「老手」警覺性便日漸降低，他開始對身邊環境掉以輕心。

經過多次的成功，躲過便衣警察的耳目，他覺得自己很聰明。阿勝想都沒有想過，他居然是「敗在」普通軍裝警員身上。

　　　　爭氣

阿勝樣子比較乖，留一頭黑髮，通常不是被截查搜身的對象。那天，他和朋友在路上，朋友是典型的金髮飛仔。阿勝依舊把毒品放在口袋內，那時剛好和新認識的女朋友在通電話，談得興起，沒有留意有軍裝警員走近。原本警員截查的對象是阿勝的金髮朋友，被截停時，拿著電話的阿勝還未回過神來，忘了口袋內的「貨物」。警員一拍，便摸出一包K仔，阿勝當場被拘捕。

起初，阿勝還不知驚。他以為未成年的他，只需要守一陣子的感化令，最多暫時不再出來混就是了。但當然，事情沒有他想的簡單。「販賣毒品」是嚴重的罪名，不能輕易保釋，他被送「直通車」，直接被還押排期上庭。這時他才知道，原來自己很大機會要坐監，真的闖出大禍了。

家人

就這樣褲袋一拍，阿勝被判入最長刑期可達三年的教導所。

被捕至今，最深刻的不是知道要被判刑的一刻，而是和家人第一次在獄中見面。隔著玻璃，媽媽拿著電話，聽筒接通，卻只能一起哭，兩個人都說不了話。

獄中的聽筒，不知已聽過多少父母的聲聲心碎。

父母每星期也來探望阿勝，只是簡單地噓寒問暖：「生活好嗎？會冷嗎？習慣嗎？」

阿勝說，無論在監獄入面多久，即使已經習慣獄中的生活，見到家人還是很心痛，仍是無法不想家。

父母又會給他寫信，鼓勵他改過自新，未來繼續努力。有一天，他收到弟弟妹妹給他的信。感動得說不出話來。妹妹只有九歲，卻對獄中的哥哥說加油，叫哥哥不要著涼，說要等他出來。阿勝又是感動，又是慚愧。自己不但做不好一個好哥哥的榜樣，反而要小小的弟妹擔心。又要媽媽牽腸掛肚，媽媽信中的每隻字也看到她的關心與真切。

每次見父母，也看到他們比以前消瘦了。甚至最遺憾的，是伯父在這段期間過身了。阿勝說，伯父像父母一樣疼錫自己，如今卻因為自己行差踏錯，連伯父的喪禮都出席不了。原來有些人，錯過了便一輩子不能再見一面。

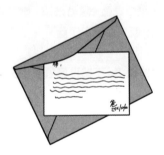

　　　　　爭氣

他反省自己原來一直這樣浪費家人對他的關懷和愛，他立定決心以後要珍惜和家人相處的機會。他也學會了將心比己，他感到父母有多難過，明白了父母一直以來對自己的苦心。

改過

在獄中，阿勝真正開始思考自己的未來。從前他只會想如何賺錢發達，如今只想出獄後找份正常工作，讓父母不需擔心。阿勝心想自己不是讀書的材料，難以做文職，又不知自己有甚麼興趣，每天也思索未來應該向甚麼方向發展。他在獄中被分派到廚房工作，有一天，看到有師傅來安裝爐頭，他突然想到，人人也要煮飯吃，每人家裡都有一個爐頭，一於向這個行業發展吧。那時他正想學一門手藝，他虛心詢問懲教署更生事務組的阿sir可以如何在這行發展，阿sir介紹他在職業訓練學校修讀「氣體工程」相關科目，商量過後，他相信這一個行業雖然冷門，但有需求，而且少人入行，他決定朝氣體工程師的專業發展，阿勝終於找到努力的方向。

出獄後，阿勝返回原校讀完中五畢業，便開始修讀氣體工程，邊學邊做，認真地跟師傅學習。他希望由學徒做起，有朝一日成為師傅，慢慢發展出自己的維修公司。

舊時的朋友找他出去吃飯，也有說服他再一起搵快錢，但現在的阿勝，已經看到自己的將來。反之，做犯法的行業，做得一時做不到一世，最終都是一場空。他現在已經懂得成熟地為自己打算，明知錯的，便不會做。更重要是，他不想家人再一次為他擔心。

漸漸地，阿勝疏遠從前那班朋友，他覺得再沒有話題，那些人只顧討論吃喝玩樂，但阿勝如今有興趣的是行業資訊，他用錢也比從前謹慎得多。眼見舊時的朋友，十個有八個也再次回到牢獄。阿勝慶幸自己得到家人的支持，錯了一次便學懂回頭是岸，也感激家人對他的不離不棄。

認真工作的阿勝，把昔日的小聰明換成今天工作的動力，他表現優異，甚至得到煤氣公司的獎學金，讓他繼續進修。他現在日間工作，晚間讀夜校，目前他的目標是考齊八個相關牌照。看到現在的阿勝，家人也感到很安慰。

阿勝說最大的轉變是，從前很急進，希望一步登天變得富有，現在明白「飯要一啖一啖食，路要一步一步行」，如今已經不會再想搵快錢，而是給自己定下按部就班的目標，一個一個去實踐。經歷了這些事情，阿勝領悟到不論人的長處在哪裡，無論跌過錯過，只要找回對的路，人人也可以爭氣，展現光芒。

支持者的話——懲教署林sir

知錯能改的少年

我是負責跟進阿勝守行為的職員。認識阿勝時，他即將離開院所，也在探索前路。離開院所後三年的守行為期間，我與阿勝恆常地見面，見證他一步一步積極向上。雖然曾經犯事，但不代表一個人便被定了好壞，即使曾經做錯，只要改過，也可以有出人意表的表現，阿勝就是一個很好的例子。

在院所接受訓練期間，已經覺得阿勝是很積極、正面的青年，他願意和其他中學生分享，不介意將犯事的經歷去勸戒別人。他給我的印象跟其他受訓生很不同，有人只會在院所中頹喪地虛度光陰，而阿勝卻很願意和我們溝通，商量未來的計劃，這積極的態度讓我們很深刻。我們相信主要是因為他的爸爸媽媽一直對他不離不棄，由上庭至在院所中也常常探望，這是很重要的鼓勵。

三年的守行為時間，為了確保他不會行差踏錯，我們會到學校和工作地點與他見面，觀察他學習情況如何、工作是否穩定，希望透過監管，幫助他重新適應正常的生活，不會再過從前與犯罪分子為伍的生活。

起初阿勝打算在離開院所後入讀主流學校完成中六課程，我們也表示支持，因為主流學校生活比較規律。後來他跟我們說，想報讀職業訓練學校的氣體課程，我們起初有點擔心，一般而言職業訓練學校比較自由，我們也憂慮他難以自律，但後來阿勝卻是出乎意料地認真上學，讓我們也放心。

他完成訓練及投入工作後，我們更感到他其實是個十分勤力上進的年輕人。當我到其工作的地方，他的老闆跟我說：「掂呀，呢個後生仔很勤力，阿sir你放心吧！」聽到老闆也這麼說，我們便明白對他的肯定和信任是正確的。看到店舖老闆對阿勝如此欣賞，我也很高興。

很多時候社會對更生人士態度或會有所保留，但其實更生人士可能只是犯錯一次，請大家不要因此判定他們，只要給他們機會，他們也能夠有很出色的表現。

「珍惜眼前，
　活在當下。」　　──阿仁

替死

還押十四天以後，法官在冷冰冰的法庭上問阿仁：「你以後會不會想再見到我？」

聽到這突如其來的問題，阿仁頓時千思萬緒在腦中，腦海閃過很多一路走來的遺憾事，一時反應不過來。阿仁覺得自己一直以來別無選擇，難道來到這一刻，被鎖在犯人欄的他，能有選擇嗎？

阿仁整理好混亂的思緒，收起錯愕的神情，鼓起了前所未有的力量，堅定地回答說：「你放心，我保證你下次不會再見到我。因為這個地方，我只會入一次，絕對不會有下次。」

曾經，阿仁很多次以為自己已經不能回頭，但這一次，他決定選擇一條不一樣的路。

　　　替死

在「不歸路」上

十三歲的時候，阿仁和很多貪玩的少年一樣，整天到晚與無心向學的同學混在一起，打打波，在公園坐坐，過著無所事事的日子。雖然談不上用功，但也不是最壞的學生。然而有一天，這班同學向他介紹了一位「大佬」，說這位大佬以後會「關照」他。當時懵懂的阿仁沒想太多便拒絕了，他不需要一個大佬。就這樣，他被打了一身，原來在球場上，沒有大佬，就會被人打。阿仁那時不敢反抗，更不敢報警，怕在學校招來更多橫禍，於是跟了這位大佬，走進了社團世界。

起初阿仁只是跟著一群人到處招搖，大佬「吹雞」讓這些手下充撐場面，他便會出現。慢慢除了行行企企，阿仁開始被要求插手更多更複雜的事情。在社團生活中，「靠惡」是大原則。誰人能夠「惡」？第一類是會打架的人，第二類便是有財力的。身型瘦弱的阿仁不夠打，為了不被欺負，唯有向金錢進發。於是十四歲起，阿仁便開始從事毒品交易。

阿仁負責與客人交收毒品，起初他的工作很順利，得到非常可觀的收入。自此，阿仁穿戴一身名牌，同儕友人都對他敬重幾分。他再不是動不動被打的小伙子，甚至成為其他人心目中羨慕的對象。

在朋友眼中，阿仁是個成功的人，十多歲便有能力賺那麼多錢，有勢力有地位。從前他在球場上被欺負，今天他看顧其他年紀比他小的人，其中一個是他在球場上認識的德仔，只有十一歲。

阿仁從來沒有想過自己要踢人入社團，但想不到有人主動問他能不能加入。德仔請求阿仁讓他試試帶毒品，他很想像這班大哥哥一樣能做大事，覺得這樣很有型。

阿仁向德仔說：「你回學校好好讀書，不要多事了。」阿仁沒有告訴他，當初自己加入社團，是無可奈何的事。他想，這麼單純的小孩子，還是不要走上這條不歸路。可是，德仔實在嚮往阿仁的生活，不論是物質還是群黨地位，讓他很想成為一分子。德仔哀求說很等錢用，再三請求阿仁，只要一次就好。

　　　替死

阿仁終於心軟，向大佬請示過後，讓德仔送一次貨。阿仁告訴德仔，只此一次。

沒想到，那次是他最後一次見到德仔。

因為阿仁再見到德仔的名字，是從他被捕的新聞消息上，阿仁啞口無言。一問之下，原來阿仁的大佬看中德仔天真單純，故意安排他在有警察的地方交收，好讓德仔成為他們的替死鬼。雖然難以接受，可是阿仁只能在心中氣憤，否則可能被出賣的便是他。

在阿仁心目中，德仔只是在球場上玩耍的小孩子。德仔很喜歡打籃球，昨天還跟母親到街市買菜，就是因為自己把毒品交到他手上，德仔至今仍在監獄之中。可能德仔在獄中仍想著是不是阿仁把他出賣，但阿仁已經無法解釋。他只是很想對德仔說：我沒有出賣你，還有……對不起。

多年以後，阿仁仍不時想起那麼信任他的德仔，不知德仔會否惱恨他。不管如何，阿仁感到無比悔疚，不知如何償還，就這樣，他欠了一個十一歲孩子的一生前途。

下一個替死鬼

社團機器底下，每一個人都是準犧牲品，只是不知道那一刻會何時來臨。

德仔的事情發生後，阿仁依舊親自送貨，但每次行動也添了一份沉重。雖然錢愈賺愈多，但從前不假思索地亂花的錢，如今賺得再多也花得不安。這些日子以來，阿仁任意炫耀財富，時間久了，從前交心的知己與他慢慢疏遠，剩下酒肉朋友。阿仁愈來愈覺得生活乏味，找不到意義。

自從德仔被捕，阿仁也擔心自己會出事。有一次，他身上帶著價值六七萬的毒品，那位客人一次過買大量各類型毒品，本是不尋常。他心想自己是不是被設局，如果身上的毒品被搜出，可能要面臨超過十年的刑期。想到那裡，阿仁由心底覺得恐怖，這位可疑的「客人」慢慢走近，阿仁雙腳在震，他心想，死定了。

客人走了，阿仁沒有被捕。但這次恐怖的經歷，讓他真的不敢再接觸毒品行業。

阿仁向大佬說，「我要退出。」

上山容易落山難，在那個世界，哪有這麼容易可以全身而退。大佬說，「我那麼關照你，怎可以說走就走？你自己想想後果。」甚至警告阿仁他知道他家地址。

這時候，阿仁感到身不由己，原來已沒有選擇的餘地，一切已經不能回頭。這時候，阿仁加入了社團兩年，他才十五歲。

不能退出社團，阿仁又不敢再參與毒品買賣，唯有幫大佬打架。終於一次收到指示要去圍毆某某仇家，阿仁因傷人而被捕。那些大佬在幕後指點江湖，而像阿仁這些落場出手的人，被捕是早晚的事。

十四天

還押的十四天，阿仁過了人生最漫長的日子。囚室裡沒有時鐘，人像跌入黑洞，不知何時才能離開。起初他們以為，這個年紀只是入男童院「玩下」，沒想過，真正還押的生活原來這麼辛苦。

但最痛苦的，是面對家人。阿仁在單親家庭長大，與媽媽和婆婆相依為命。這一次被捕，讓媽媽和婆婆感到晴天霹靂，看見孫子被扣上手扣，像天要塌下來。家人的反應讓阿仁知道自己真的闖了大禍。

還押的十四天，媽媽和婆婆每天都來探望阿仁。七十多歲的婆婆，原本身體很健康，但知道消息以後，每晚擔心到睡不著覺，不消幾天，身體便虛弱下來。

家人每天來探望，婆婆早上八時來排隊，從進入門口到坐在阿仁面前，那一段十多步的路，已讓撐著拐杖的婆婆邊走邊喘氣，但婆婆仍不停下腳步，只為了不浪費分秒與孫兒見一面。甫坐下來，已經泣不成聲。眼見婆婆一天比一天消瘦，由探訪室大門口到玻璃前面，婆婆蹣跚的腳步，在阿仁心中，那段路很遠，很遠。阿仁很怕再這樣下去，婆婆會撐不住，想到永遠再見不到婆婆，已經忍不住淚流滿面。

懲教職員語重心長地勸戒阿仁說：「阿仁，你要珍惜眼前人。我見過這麼多犯人，看得出你本性不差，這些地方不適合你，你出去之後好好做人吧。」

66　　　　**替死**

「珍惜眼前人」，這句說話像當頭棒喝。他想到，婆婆在這個年紀本應在享清福，但現在卻如此奔波。阿仁問自己，明明男人應該保護家人，為甚麼現在卻把家人折磨得不似人形？

「為甚麼會這樣，我為甚麼會如此虐待婆婆……」

想到這裡，伴隨無窮內疚，阿仁大力摑了自己兩巴，他決定要清醒過來，再自責已經沒有用。那一刻起，阿仁只想告訴家人，自己以後一定會改過自新。

上庭當天，法官問阿仁，「你以後會不會想再見到我？」阿仁決定絕對不能再讓家人如此傷心，向法官保證以後不會再有下次。法官判他接受兒童保護令，讓他接受感化，給他一個機會重新做人。

重新出發 v 　　　67

重新起步

出來後，阿仁決定重新做人。回到學校，他才發現原來老師也很關心他，主動問他能不能追上課程。他從前以為自己已經被所有人放棄，想不到原來要回頭，還有那麼多人支持。

從前因為不敢反抗，一步一步跌入深淵，今次阿仁決定拗起心肝，無論如何都要與過去的社團生活斷交。他鼓起勇氣告訴社團的人，如果再騷擾他和家人，便把社團的事告訴警方，大家都不會好過。社團的人無非欺善怕惡，見他意志如此堅定，便沒有再找阿仁。

阿仁今天回想，如果當初能堅定一點，他有很多方法去應對社團的利用，其實並不是真的沒有選擇。他悔恨當初不夠勇敢，成為了被利用的人。想到很多年輕人也像這樣誤入歧途，甚至耽誤了大好青春，他更覺感慨。

他想起德仔。

替死

如果當初沒有讓他送毒品，德仔差不多中學畢業了。一切都像一場夢，就算曾經多風光，其實只是被人利用的棋子，為犯罪集團替死。就算那一次德仔沒有被那個大佬出賣，遲早會有一樣下場，這就是社團的遊戲。

今天阿仁已經畢業了，加入了保險行業。現在他珍惜正當賺來的金錢，希望讓家人過點好日子。阿仁終於明白，為何當初他賺到那麼多錢，仍然不感到快樂，因為從前就算得到多少錢，只能夠亂花，買不需要的名牌或和酒肉朋友吃喝，賺得再多卻不能光明正大地讓家人用。今天他所賺的每一分錢都能改變家人的生活。他現在才明白，金錢的意義不在乎數目，而是能給家人快樂。

事過境遷，阿仁的日子回歸平靜，不用提心吊膽運毒，不用打人。原來，下班回家，喝一口家人熬的熱湯，已經很快樂。

支持者的話──媽媽
望子成龍

做人媽媽，相信我們也是望子成龍的，而最無助的就是眼白白看著孩子學壞，這也是最心痛的，這份難過也只有家長才懂。但是，只要不放棄孩子，好好找人幫忙，孩子總會有回頭是岸的一天。

阿仁其實是個善良的孩子，成長時一直也很乖很聽話，一直也讓我很安慰，但是可能因為我們是單親家庭，阿仁從小由婆婆照顧，我因為工作，陪伴他的時間也很不足夠。那時候，我們以為可以用物質補償對孩子的關愛，買他想要的東西給他，希望他可以感受到家人對他的愛。但是原來這樣是不足夠的，漸漸便失去了和孩子溝通的機會。不知從何時起，阿仁由很黏媽媽的小男孩，變成一個甚麼都不跟媽媽說，又常常不回家的反叛少年，還認識了壞朋友，讓媽媽非常擔心。起初，我不懂得如何處理，只用更嚴厲的管教去約束他，但原來這樣是行不通的。我和兒子的關係愈來愈惡劣，他去哪裡也不會再告訴我，而他一回家，我們便吵架。我愈是勞氣地問他去了哪裡，他愈是不肯理睬。那段時間，是我作為媽媽最痛苦的日子。

後來，幸好得到社工的幫助，他不但幫忙輔導孩子，同時也開導了我的情緒。我明白到要與孩子溝通，要改變溝通的方法，不要每次見面也是責罵和發脾氣，要用耐性去理解和接納孩子的需要。以前，孩子一回家便質問：「為甚麼那麼晚才回家？去了哪裡？」但後來，我改成會輕鬆地說：「你回來了。」慢慢才平和地問他去了玩甚麼。孩子不願回答，便用耐性去等。終於孩子感受到我的態度改變了，便願意和我談天，然後再慢慢開導他。這個改變其實不容易，作為大人，有了習慣的態度和權威，一下子改變真的很難，但要改善親子溝通，始終要有一個人去改變。看到孩子後來慢慢向好，也改變了通宵遊蕩的壞習慣，一切努力也是值得的。現在看見兒子真的生生性性，認真工作，這一年來，也沒有再出夜街，我感到很安慰。現在，我只希望阿仔感受到媽咪給他百分百的支持，無論他有甚麼方向，我也會支持他去發展。

我想和其他家長說，每個大人都會望子成龍，望女成鳳，但我們也要接受，不是我們的期望孩子通通都會做到。我們要學會給予孩子時間和空間。反叛期對家長來說，每一日也好漫長、好辛苦。但這段時間真的好多謝社工去協助我們溝通、幫助我們解決問題，也希望各位家長不要放棄希望，萬事總會有解決的一天。

「人生有很多有意義
的事要做，所以不
要輕易放棄。」

——阿細

過去

人生之中總會發生大大小小的意外，
有些帶來一陣子的苦惱，
有些卻讓人掉入深淵。
如果上天讓你改變過去，
你會選擇把那場意外消失，
還是讓自己學會面對？

　　　　　過去

阿細的「契爺」

「這種東西，你遲早也會試的，不如現在先嚐一嚐吧！」

在街頭遊玩的少年，有一種特別的「上契文化」，他們喜歡和結伴的人稱作契哥契妹。把第一口毒品遞給阿細的，正是他的「契爺」。

阿細在單親家庭長大，爸爸早年因癌症過世，沒有給阿細留下太多回憶。媽媽是清潔工人，為了養家，每天工作早出晚歸。陪伴阿細成長的，是屋邨樓下結識的朋友，其中待他最好的，是他的契爺。阿細之所以叫阿細，是因為他個子十分小，討厭出一身汗也不太喜歡運動，阿細經常流連網吧，而他最喜歡的活動就是到契爺家中打遊戲過時間。

阿細十歲左右便在樓下公園認識契爺，他大約三十多歲，阿細沒有多問他的背景和工作，只知道他有很多時間可以和他一起玩，待他有如兒子。契爺除了有遊戲機，桌上也常常有些古怪的工具，阿細也沒有多問。每天放學後，他便到契爺家中打機，阿細與這位「爸爸」見面，比見真正的家人還多。契爺總是跟他同聲同氣，不像家中的親媽媽一樣，見面就是責怪他。阿細把街上的朋友視為家人，那些「契家人」，比真正的家人更親密。

漸漸，阿細便愈來愈晚回家，愈晚回家，媽媽就愈是生氣，只得追著他來打。阿細便更不願和媽媽交代去向，幾天不回家也不打電話告訴母親，讓媽媽擔心得要報警。離家出走次數太多，阿細也進過兒童院，媽媽不知除了打罵，可以如何管教，慢慢也只能放著不管。

除了在契爺家中消磨時間，阿細也會和其他在公園認識的兄弟到處遊蕩，那些兄弟每個也跟了社團，阿細說，很自然地，他也掛了名跟了個大佬。於是，剛升上中一的阿細，便是社團中人。他說，身邊的朋友、學校的同學都有類似背景，沒有甚麼特別。在阿細的圈子裡，沒有跟人的才是不正常。

阿細本來對社團事務沒有太大興趣，他不喜歡招搖作威，甚至覺得那些「社團活動」有點無聊。加入社團後，他常常接到「任務」，讓他出去打架，更多時候是大班人到場，做做樣子，沒有真的打起來。他記得有一次，身邊兄弟接到電話，便說要一起出去打交，十幾個男孩子便去搭地鐵，到場，很自然的便開始打，十多人打六七個男孩，阿細連為了甚麼打，在打甚麼人都不知道。打完了便走，他不知道自己在做甚麼。

他一直不知道自己在做甚麼。

很自然地，阿細也不會問為甚麼。他是一個很隨性的人，「很自然的」，阿細常常說「很自然」，朋友跟了社團，他很自然地便跟。為了小事爭執，生氣時很自然地便打人，在學校打同學，在街上打陌生人。喜歡不回家就不回家，他心想，喜歡怎樣就怎麼。因為他從不會多想前因後果，一切都自然而然。

所以，「很自然地」，阿細在十二歲時吸了第一口毒品。

阿細不再是十歲小孩，他終於知道，契爺桌上的，是吸食毒品的工具。契爺對他說：「這種東西，你遲早也會試的，不如現在先嚐一嚐吧！」

契爺毒癮很深，但阿細覺得他是個善良的人。

「你如今知道這種東西是不好的，日後也許便不會再食。」契爺認真地對阿細說。

契爺心想，毒品這個東西會讓人好奇，與其阿細被其他人引誘，不如先讓他了解，希望他不要像他一樣沉迷。

阿細沒有多想，他很信任契爺的話，於是那天試了少量毒品，覺得沒有太大感覺，只覺得有點放鬆。那天起，契爺沒有再問起他關於毒品的事，也沒有再讓他吸食毒品。

那時的阿細，只覺得毒品是日常的東西。沒有太大好奇，也不會反感，也不覺得有甚麼危險。有人喜歡打機，有人喜歡吸毒，只是這樣而已。

不可挽回的意外

操場上一摺白色的裙子，總是校園裡最美好的回憶。有一天，孩子成為青澀的少年，阿細也有了心儀的女同學。

阿細在家的時間很少，家裡沒有爸爸，他和媽媽整天吵鬧，所以他分外重視關係。

中三那年，阿細與同班同學阿蚊表白，自那天起，他們上下課總是形影不離。戀愛對於阿細而言，是生活中唯一的光芒。阿細對一切事情都沒有太大興趣，唯有女朋友是他最重視和珍惜的。

一個和暖的早晨，阿細如常在甜蜜的校園與阿蚊碰面，然而，等著他的是一個震撼的消息。

她告訴阿細，自己懷孕了。

當時他們兩人只是十五歲，如何懂得迎接一個新生命？稚嫩的小女友，突然成為一個準母親，阿細不知如何面對，他更無法想像，他自己將要成為人父。但思索這一切之前，還要面對女友的家長，以至法律問題。

第一件事情，是到女朋友的家道歉。阿蚊的父母雖然震驚，但也不想再為女兒增添壓力，他們原諒了阿細，不再追究責任，於是他們一家商量孩子的事情要怎麼辦。

阿蚊一心想把孩子生下來，她感到身體裡已住著一個生命，是她的寶寶。

然而，阿細當時年紀尚輕。那時沒有經濟基礎，不知應該如何面對一個小生命，那一刻，阿細感到恐懼多於一切。阿蚊的父母得知後感到震驚，固然不贊成二人生下孩子。

無奈地，二人最終傷心地接受現實，阿細只能目送阿蚊往診所進行墮胎手術。這件事情以後，二人雖然故作一切如常，然而，阿細與阿蚊之間，已經留下了一條無法修補的裂痕，阿蚊認為阿細沒有支持她、沒有堅持把孩子生下，而阿細又認為女友並不理解當時的自己如何不知所措、如何無能為力。任阿細怎樣補償，也不能再看見女友昨日單純的笑容。

往後多次的吵架，把他們推向分手的邊緣。喜歡著她的阿細，一次又一次希望挽留，然後，當吵架時阿蚊問他為何不支持她生下孩子，阿細只能無可奈何地沉默。

二人走進了一條無法回頭的死胡同。隨著中三畢業，二人到了不同的地方升學，一次又一次離離合合，死心的阿蚊早已愈走愈遠。即使阿細用盡心思，苦苦哀求也不能讓二人回到從前。

這一次，他發現阿蚊已經結識了別人。

心如刀割。

阿細知道，他們已經走到了盡頭。分手成為事實，阿細每天仍是心心念念，無法忘懷。他想去狂歡、去飲酒，只為沖去無盡的後悔與自責，可是一切都不能洗去心中的痛楚。

阿細在無窮的苦惱之中受盡折磨，只想得到一刻解脫。他想起很久以前，那種特別的放鬆感覺，他的腦海浮起了當時試過的毒品。那刻他甚麼都沒有多想，只想抒發壓抑已久的情緒。阿細身邊的朋友，隨便一個也能為他供應無限的毒品。他打電話給從前的同學，一開始是K仔，後來是冰。從那天起，阿細沒日沒夜地與毒品作伴。

失去重心的日子

感情的打擊，加上沉迷毒品，阿細一蹶不振。阿細形容，吸了毒品便會忘記一切煩惱，因為整個人只會一片空白，甚麼都想不起來。原本在念機械工程的他，因為出席率不足而被退學。為了生活，阿細早上做散工，晚上便到朋友的家吸毒，誰家有毒品派對，他便到那兒去。一年下來，換了幾次工作，跟車送貨、倉務、廚房他也做過，辛苦又沉悶。後來他到了髮型屋工作，起碼工作地方有冷氣，不用出汗。

阿細一周只上班兩三天,其餘的日子他都在迷糊之中。這樣的日子,漫無目的地過了三年,即使臉上已長著冰瘡,阿細也沒有想過要結束。

有一天,他如常在朋友家中吸食毒品。他突然收到一個電話,是一個販賣毒品的朋友,對方說有人要來搜查,著他要帶著所有毒品離開。阿細沒有多想,便聽從指示,把毒品都收進袋中。誰知一打開門,等著他的便是警察。原來阿細被那位「朋友」出賣了,成為了他的替死鬼,阿細當場被捕。

由於阿細已經是成年人,上庭前一天,阿細才告訴媽媽,媽媽激動的責罵一番,最後還是陪伴他走過整個法律程序。阿細也認清了,誰是愛錫自己、對自己不離不棄的人。

阿細決定認罪,由於藏量不多,阿細可以選擇九個月的自願戒毒計劃,或是為期半年的懲教署戒毒院所。

這一次,媽媽苦心勸阿細戒毒,阿細原本打算選擇快一點刑滿的院所,但他聽從了社工和媽媽的意見,決定參加為期較長的戒毒計劃。

加入計劃的初期,阿細依然漫無目的,也沒有想過自己真的要戒毒。只是一天一天等日子過,抱著散漫的心態,在計劃中的課堂表現自然也不佳。有一次他因為評分低,與院所導師口角,甚至想動手打對方。

和中學時期相比，即使已經大了十歲，但阿細隨心所欲、「很自然地」的性格還是沒有改變過。想玩便玩，生氣便打人，但這一次，他可是面對著沉重的後果。事件被戒毒所視為嚴重過失，阿細面臨被革走的懲處。若然失去戒毒計劃，阿細便要重新回到法庭，再審判他的去向。

這一次，阿細反省自己行為的缺失，他跟院長誠懇地道歉，並願意接受任何懲罰。最終院方罰阿細要延長計劃一個月，並且要他一個人靜思己過。

靜思的日子，讓阿細變得冷靜，因為甚麼都不能做，不能參與活動，不能和人聊天。這些時光成為了一場鍛鍊，讓他學會了忍耐。阿細真切地反省，過往的他完全是情緒先行，做事沒有理智思考，結果衝動下來，往往造成最壞的結果。他想如果在行事之前，都給自己留下一點點靜思的時間，可能結果便會不一樣。

那次之後，阿細開始認真面對導師和社工的指導。從前亂寫交貨的作業，他都能靜下心神認真完成。離開戒毒所的前三個月，他接到一份作業，是讓他計劃未來。

這是一個阿細從來沒有想過的問題，從小到大，他也是得過且過地生活。朋友叫他玩甚麼，他便去做甚麼。他真的沒有想過，也不知道怎樣計劃未來。面對空白的日誌，他開始細想，需要為自己的人生訂下目標，不能再漫無目的地過日子。他不想回到吸毒時一事無成的生活，更不想回到那班損友身邊。

阿細思前想後，希望當個正式的髮型師。他找社工商量，訂了出所後的短期目標，先報讀有關課程，然後再找高級髮型屋學習。阿細開始明白到，自己一直被毒品耽誤了很多學習的機會和時間，因此他要加倍努力，追回失去的光陰。

訂下了目標，阿細覺得心裡前所未有地踏實，他第一次覺得對未來有所期待。

再活一次

「過去」是很有趣的，它既是名詞，亦是動詞。所以，一切的「過去」也會過去。想著「過去」抑或「過去」，只在乎人的一念之間。

無論沿途有多少意外，只要願意改變，明天便是新的生命。今天的阿細，不再被過去發生的事情困擾。他學會了面對困難，面對困難就是不要執著於已經發生了的事情，而是為未來努力。抱著積極解決問題的心態，他個性也變得更隨和。從前的他會很易生氣，現在的他會想既然事情已經過去，看開一點便不必再計較。

除了為成為髮型師而努力，阿細又開始學習音樂，如今的他，遇上煩惱，便以音樂排解。找到了情感的出口，便不再被毒品引誘。他亦學會愛錫母親，細心和媽媽相處，媽媽也感到無比安慰。阿細的生命，徹徹底底的重新活過來。

阿細的故事，希望能送給所有希望改變過去的人。

支持者的話——社工陳sir
戒毒不易

我是明愛黃耀南中心的社工，在中心接觸很多有毒品問題的青少年，戒毒輔導是很漫長的，每個人吸毒的原因也不同，眼見很多年青人不停進進出出戒毒宿舍，在離開毒品的道路上真的很不容易，阿細的轉變，算是非常難得的。

認識阿細是經由社工轉介，阿細因為藏毒而被判入中心，第一次與他見面，是在一個俗稱「新人房」的地方，那時對他最深刻印象是這個年青人真的很瘦，但樣子不算是非常「吸毒樣」，而且在第一天，他便與我們有良好的溝通。阿細願意與人分享自己的事，這是很好的第一步，青年願意溝通，社工才能了解他們，對他們提供有效的幫助。

我對阿細最深刻的事情是，他初入中心時，仍未能改掉遇上問題時會衝動行事和暴力的習慣，有一次他和職員發生口角，甚至想推撞對方。在中心，這是非常嚴重的行為，足以讓他被革走，當時阿細其實可以選擇離開中心，接受其他判處。但是阿細很堅定地想留在中心，願意接受懲罰，我們也看到他決心改過的誠意。那次的懲罰一點也不輕鬆，他需要一個人坐在「安靜椅」上反思一個月，從早到晚不准做任何事。這個懲罰很多人三天也受不了，但阿細還是堅持了下來，可見他真的很珍惜這次改過的機會。而這段反省的時間中，他改變了原來浮躁的個性，也學會了凡事冷靜思考和增加了耐性。

雖然阿細犯了事，但相比這裡大部分的青年，他的態度比較積極正面，這是十分難得的。他對自己也有要求，不希望自己一直沉淪，所以他會向社工尋求協助，與我們一起討論未來的方向，我們也當然十分樂意提供支援，包括戒毒輔導和生涯規劃等，慢慢經過潛移默化，阿細由想法變成行動，離開院所後仍能實踐改變。最重要的是，他自己有改變的心，如果青年自己沒有心去改變，任旁人多想幫助他也不會有太大效用。

很多青年離開中心時也自信滿滿，相信自己一定不會再碰毒品，但是這種想法才是最危險的，最容易因為掉以輕心而重返毒海。我很欣賞阿細懂得警惕，他因為害怕自己再被引誘，而決心遠離從前的圈子。同時間，他亦是個感恩的孩子，離開時，他感謝我們對他的關懷，也讓我心頭一暖。我對阿細的未來有信心，希望他能keep住！加油努力！

「一個『人』字，寫就很易，
做就好難。」　　——阿賢

六年

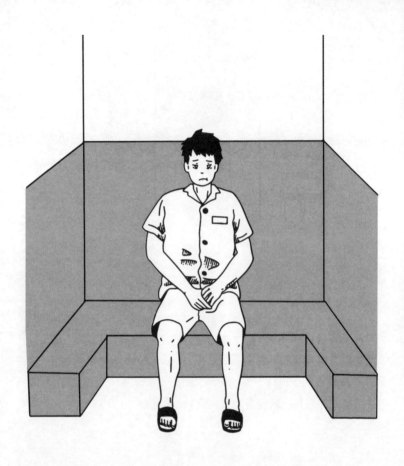

阿賢16歲時被捕，
重新回到城市已是六年零八個月後的事，
入獄前還是個背著書包玩耍的小伙子，
一覺牢獄夢醒來，青春已經過去，
發現自己原來已是成年人。

「斷正」的一天

阿賢小時候成績不錯，初中開始在外流連，學會吸煙飲酒，整天到晚和朋友打機蹓躂。成績下滑以後，與家人關係漸漸變得僵持，為了逃避家人的叨絮，阿賢更不喜歡回家，家人也不想再讓他任用零用錢到處玩，希望他不夠錢用便乖乖回家。

可是，現實往往與家長的想法相反，阿賢不夠零用錢便到外頭自己賺，為了買煙和酒，他曾經當過外賣仔，但辛苦工作賺的總不夠花，有朋友叫他索性搵快錢，阿賢便踏上毒品買賣的路。

比起物質本身，阿賢更深深被花得起錢那優越感吸引，為了和朋友炫耀，可以很威地請一眾好友食飯，買別人夢寐以求的遊戲機……虛榮成為強大推動力，短短一年，阿賢便愈做愈大膽。

阿賢覺得自己已是有能力的人，在外能叱吒風雲，回到家更是對家人不屑一看，任父母怎麼對他勸導也不理不睬。那時家人已略猜到阿賢從事非法工作，又擔心又難過，而那時阿賢，只覺和家人談多句也很老土，他以為不接受家人的關愛，便是獨立的表現。

某一天，阿賢如常起床，準備出門做他的大生意。

這天，爸爸在客廳飯桌上放下了一份報紙，內容是「十六歲青年販毒被判十年八個月」。阿賢接到爸爸的電話：「阿仔，我有些東西放在桌上，你好好看一看吧。」阿賢沒想太多便掛線，他想「邊有咁易衰」，隨手放下報紙，便拿著兩公斤毒品出門。

想不到，阿賢正好在這一天出事。

阿賢被警員截查，當場搜出兩公斤毒品，這個分量，足以判刑十年。他只記得被捕一刻，腦海一片空白，整個人像空殼。回過神來，已經來到差館，他開始感到恐懼的一刻，是警察告訴他說，要打電話給家人。

「可不可以不打給家人?」

阿賢這一刻才想起,家人知道他出事,一定會很傷心。又想起爸爸早上在桌上放下的報紙,「十六歲青年販毒被判十年八個月」,今年,他才剛好十六歲,不敢相信命運如此巧合,更無法想像家人的反應。

因為阿賢當時未夠十八歲,迫於無奈要致電家人給他保釋。

當天,阿賢母親始終未能踏進差館,因為她在警署門口一直崩潰痛哭。進去給阿賢保釋的是爸爸。爸爸雙眼通紅,一話不說,阿賢看著爸爸,也不敢說話,這份沉默,一秒鐘也長得像一輩子。

回家搜查時,爸爸依舊沒有開口,沒有一聲責罵。

直至所有程序完結,阿賢被帶到羈留室,當值的阿sir問爸爸:「有沒有東西想跟仔仔講?有就現在說了,沒有的話將來便不知在哪裡可以講了。」

重新出發 V

「生性喇仔。」

其實大家也心照不宣，下次能和兒子說話，應該已經在獄中，隔著一塊玻璃，拿著聽筒說。能再和兒子站在一起，不知要待何時。

沉默了五秒，爸爸早已雙眼通紅。忍著男兒淚，吐出四字：

「生性喇仔。」

說畢便忍不住嚎哭，在警局裡老淚縱橫。阿賢早在一旁泣不成聲，看著父親，無話可說，兩人一直哭，一直哭，忘了夜深。

接下來的日子，父母每天都來都來壁屋懲教所探望阿賢，而從被捕到宣判，阿賢每次見父母也是討論有沒有機會可以減刑，問父母能怎樣上訴，有沒有律師可以幫忙。

直至確定刑期不會改變，塵埃落定，他才開始想到反省自己過錯，安安分分坐餘下的日子。幾番折騰，阿賢年滿二十一歲，由壁屋轉自大嶼山塘福懲教所，家人探望的路程比從前更遠，一來一回更是用了大半天，阿賢想父母用每周唯一一天的假期來探望他，根本沒有休息。

每次短暫的見面完結，阿賢便會回想父母來回時路途是否很遠，愈想愈覺得很對家人不起。已經入獄數年，一直只是向父母訴苦和讓他們幫忙，發現原來一直欠家人一句對不起。

靜思己過的日子

十六歲以後，伴隨阿賢長大的，是在獄中的生活。阿賢在這個與別不同的環境中，慢慢建立自己成熟的價值觀。當其他青少年在外面為公開考試苦惱，阿賢的挑戰是怎樣在監獄中好好生存。人人也有不同的命途，有些人到大專繼續學習，有些人進入了社會大學，阿賢說，監獄這所「大學」，可能比前兩者都學得更多。

原本阿賢以為在外面混的日子很獨立，但進入獄中，才發現原來自己一直活在家人的支援當中，成為囚犯，一切沒有人幫助，原本在學校有事有老師幫忙，在家中有父母可以商量，但人在獄中，所有事情都要獨自面對，沒有人可以幫到自己，原來這樣才是真正的獨立。

阿賢形容裡頭的人來自三山五嶽，甚麼事也可能發生，因一點小事得罪了人，日子會很難捱。阿賢見證不少人在獄中被針對得淒涼，他迫住學會了如何與人溝通，如何有禮貌；一個反應，一個小動作，或是詢問能否轉電視台，阿賢都小心翼翼，思前想後才行事。環境改變，阿賢一夜長大，由行事衝動的小伙子，變成一個謹言慎行的人。阿賢開始反省，從前因為做事沒有深思熟慮才闖了大禍，從今以後做事也要想後果，不能再犯錯。

在學校，犯校規只是閒事，老師再惡，也完全不能與獄中的懲罰相比。在監獄中，一切也要依足規則，犯錯可不是開玩笑的事。阿賢最深刻記得，一次因為偷帶書本出倉閱讀，被突擊檢查發現，便要接受七天俗稱「鎖水記」的刑罰，亦即是在水飯房的獨立囚禁。水飯房只有一張床，一個廁所，在這七天，甚麼事都不可以做。早上摺好被後，每當阿sir行過也要立正企好打招呼，其餘時間只能直坐在床上，不能躺臥。就這樣坐著七日七夜。阿賢只能不停在腦海中找東西思考，想從小到大，由幼稚園想到中學，所有事想一次，也只是過了一個小時，那種寂靜，十分恐怖。也在這次反思中，阿賢更學會冷靜，消退了從前的剛烈。

即使在監獄的平常日子，每天也是度日如年，六年八個月共二千多天，每天只能過重覆的生活，打波、睇電視、看書、工作，每天重覆更表，時間過得很慢，阿賢不能想像，日子要怎麼過。

有一天工作中，懲教阿sir問阿賢說：「你小時候讀書成績不錯，有沒有想過再讀書？」然後給阿賢介紹了可以在獄中修讀的課程。

阿賢當時也心生遲疑，已經那麼久沒有認真拾起課本，自己真的可以再讀書嗎？

阿sir語重心長地說：「讀書不一定找到好工，但不讀書一定找不到好工。」

這句說話讓阿賢反覆思量。他問不同囚友的意見，有人鼓勵他，說試試也無妨；也有人說如果讀書能發達，人人都發達了，著他不要浪費時間。阿賢心中拿不定主意，又在探訪時間與家人商量，想不到家人知道阿賢有讀書的念頭，開心得笑逐顏開，爸媽想也不想便說立即幫他申請，又替他找課程資料。看到父母如此雀躍，阿賢也找到動力支柱，決心要完成學位，讓父母重拾希望。

阿賢決定報讀公開大學工商管理的學士課程。他很感激父母願意負擔自資課程學費，無論他變得多壞，父母也沒有放棄對他的栽培，讓阿賢更加珍惜這個學習機會。這時阿賢剛好十七歲，他希望用六年時間完成大學學位，追回失去的時間，出獄後能趕上別人的步伐。

然而，在獄中讀書，卻沒有想像中容易。因為沒有老師教授，阿賢只能自己翻破教科書，一句一句自己解通，遇到不明白的地方沒有人可以問，也不能上網查功課。有時真的看來看去都不懂，只能亂猜，直到考試也不知自己的答案對不對，只能盡力作答。

要完成一個學位需要完成二十多個科目，自修一科已經讓阿賢費盡精神和努力，他用了一年時間，才成功讀完三科。孤獨地自修，每天都挑戰阿賢的意志力，有時他想到即使得到學位，有案底的自己也未必能順利找到工作，一想到不確定的未來，他又感到沮喪，反覆想到放棄。

身旁的人有人羨慕他能讀書，覺得很神奇，讓他受到鼓勵。看到他一科一科完成，家人由心而發地讚賞。阿賢心想，在外面世界，當人人都讀書，但考不到第一便得不到稱讚，反而在獄中，原來只要合格便得到認同，已經很有成功感。

每當想到放棄，他又會想家人看到他畢業的樣子，一定會十分安慰；又考慮到在外面，面對更多誘惑，更難專心讀書。如是者，反反覆覆的念頭，想放棄又再堅持努力，終於完成了絕大部分課程，出獄後再考一科，便能畢業。

六年之後……

每人也有不一樣的過去，不代表不能擁有光輝的未來。

將近出獄，阿賢十分慶幸自己能堅持下來，終於完成一個學位，比起在獄中虛度光陰的青年，他對未來感到盼望。

在獄中，阿sir對他說過很多勸導的話，最深刻的一句是：「一個『人』字，寫就很易，做就好難。」他不時以這句說話告誡自己，出去後要好好做一個人，不能再行差踏錯。

阿賢覺得，自己在獄中的確學到如何「做人」，在獄中見過很多大大小小的衝突，他發現原來自己喜歡替別人解決紛爭，能幫人消解爭執，原來很有成功感。

他問阿sir，不知道「勸交」能否成為工作？

阿sir建議他向調解員事業發展。就像命中注定一樣，原來報讀調解員基礎課程，要有大專以上學歷，剛好他在獄中讀了學位，如果當初入獄沒有堅持讀書，現在便沒有機會加入想做的行業。

這時，他又想起阿sir一句「讀書不會一定搵到好工，但不讀書就一定搵不到。」到現在，阿賢仍然很感激這一份啟蒙。回想在成長路上，他很感謝懲教阿sir教他人生道理，改變他的一生。

即將離開待了二千多天的監獄，阿賢最想的，是屋企。他說，在獄中，冬天穿幾多都不夠暖，夏天脫多少都不夠涼，在獄中沒有一晚是睡得好的。他記得第一天回家開冷氣睡，居然覺得很冷，有點不習慣。

在獄中日子重覆，六年如一日，阿賢驚訝原來外面已經變了很多，入獄時手機還是第五代，出來後已經第十一代了。他明白光陰一去不返，也感到唏噓。

阿賢最大的改變是出獄後，感到自己的社會角色也不同了。入獄前只是學生，出來已經二十三歲了，一切都要自己決定。最深刻的是，去銀行辦理戶口，職員問：「先生你要不要買基金？」他的第一反應是驚奇，為甚麼不問爸爸媽媽，而會問自己？回過神來才驚覺，原來自己也已經是個成年人，將要背負更多的責任。

回想當初，如果不是這六年，他可能會「愈做愈大」，心更紅，可能會跨境販毒，面對更嚴重的後果。

雖然浪費了六年，但人生還有長路，現在還算青春，重新起步也不遲，阿賢相信只要努力，還是會見到光明的前途。

重新出發 v　　　103

支持者的話──懲教署導師
出錯不要緊

剛接觸阿賢，感覺他還是一個黃毛小子，雖然個子很高大，但心靈仍像一個孩子。我認識阿賢，是他在獄中的最後兩年。院所內有不同的崗位，每個在囚人士也會跟阿sir負責不同工作。我主要負責管理衣服房、圖書館和物資倉，阿賢被編配到我的小組下工作，因此和他有機會多加交流和認識。

起初工作時，阿賢不太適應，因為管理整個院所有囚友的物資，需要耐性記住不少東西。起初，他負責記錄物資，有時也會有點小脾氣，嫌工作太單調，而其實因為他心急，導致出錯也不少。我便教他：「出錯是沒有問題的，每一個人也會錯，但要自己找個答案出來。」慢慢幫他培養出耐性。

起初，他有點小朋友的執著，會問為甚麼他要做那個，其他人又不用做等等的。當事情不如他心目中的樣子發展，便會對事對人也有不少不滿。我跟他說人有兩面，事有兩面，對與錯都有兩面，你站在另一面看，會看到不同意義。阿賢也是個願意分享和聽教的孩子。

後來，當他成為前輩的時候，我看到了他的進步。他在院所最後一件工作，是為全所差不多五百人準備各人合身的換季衣服。點算上千件物品不是簡單的事，但這時候，他已經變得很有耐性，也掌握了做事的節奏，由最初常常出亂子，後來變得細心，並能提點別人，這種改變，我也覺得很深刻。隨著時間，無論當初如何，人總可以變好。

當初在閒談時我鼓勵他去讀書，哄著哄著他也願意讀。他爸爸每次探望他，都會為他買教科書，這些教科書也不便宜的，我便勸他要珍惜這些東西。現在他快將完成學位了，我也覺得很安慰。

他在院所的時間，差不多從早到晚也跟著我工作，有點像老師和學生，看到他能學有所成，我也感到開心。希望他離開院所後，能踏上正途，無論曾經錯過幾多，人總可以有好的未來。

「人生冇彩排，每一刻都是現場直播。」 ——阿龍

老一輩喜歡說：「三歲定八十。」

這句話亦是亦非，雖然性格既定，人卻可以透過努力改變小時候的不足，然而，的確從幼兒階段起，一個人的基本個性便得以洞見。好像在遊戲室內，有些小朋友喜歡和其他孩子抱抱親親，一起分享玩具；有些小朋友總會一把將別人的玩具搶去，不會好好跟其他孩子說話。阿龍的媽媽，自小就知道阿龍與一般的小孩不一樣。他不喜歡與人交流，更難以表達自己。自小孩時期，他總是沒有耐性，想要的東西得不到，便會立即發脾氣，甚至不說話和不停鬧情緒，媽媽也沒有辦法。小孩性格天生如此，父母覺得不能怪他，只能由他如此。可是，愛鬧情緒的小孩終會長大，當孩子搶的不再是玩具，要付上的代價，可不再只是媽媽的責罵。

　　　　任性

怒火少年

對於很多人來說，「情緒管理」是一生的課題。有些人天生性情溫和，有些人卻性格剛烈。人總有一天要學懂如何駕馭自己的個性，有些人卻要走一條長長的彎路才能學會。

如果人的思考世界是一幅地圖，面對事情必須經過幾個思想分岔路才能回應，阿龍的思考模式，從出發到終點，大概是跨過一格階磚這麼近。其實阿龍心裡總想在他的地圖上找到一個和睦又被愛的終點，然而，人生的路途往往卻不是這麼順利。阿龍不喜歡說話，習慣跳過溝通和組織的過程，當下便以行動回應。好像當他與人發生不和，第一下便是一拳打過去。這種行為模式，在講求規矩和禮貌的學校，自然是被邊緣的一群。

不愛思考的阿龍，自然對學習不會有任何興趣，上課對於他而言，只是空坐著捱過煩悶的時間，甚麼都聽不進去。這種性格，讓阿龍一早進入了學校的「關注清單」，然而在他的學校，學生打架是閒事，老師已見慣。阿龍早已不怕被學校責罰，家裡對他也不太管，以致行為愈來愈激進。

有一天，阿龍在學校的球場與人碰撞，雙方各不相讓，互相罵了幾句。原本只是一件小事，消了氣便完了，但他當時氣上心頭，到小食部買了一個杯麵，二話不說回頭找那個同學，一把手將滾燙的杯麵潑到對方身上便轉身走了。潑杯麵的那一刻，阿龍完全失去自控，回過神來，已聽到對方一聲慘叫。當然，他想也沒有想過這樣做的後果。小食部職員立即通知老師為同學治理，幾分鐘之後，學校傳來救護車的響聲。這下子他才想，可能這次事情真的鬧大了。

那位被燙傷同學的家長決定報警，學校在事發當天通知了阿龍的父母。父母一向習慣了學校常常跟他們報告阿龍的劣行，但想不到這一次，阿龍居然這樣襲擊同學，父母又生氣又苦惱，只得再次責罵他。當時的阿龍，早已天不怕地不怕，被媽媽罵了又怎麼樣，聽了便算。中學時期的阿龍，因為行事我行我素，每每使得父母動氣，每天吵鬧不斷。任母親怎樣罵，他依然是那個樣子，結果今天終於闖了禍。

幾天過後，警察來到學校把阿龍接走。這幾天，其實他心中有點害怕，但是很快反叛蓋過了驚恐，還是覺得沒有甚麼大不了。他年紀那麼小，即使警司警誡，最多只是被警察罵兩句而已。一早被罵慣了的他，還是覺得不太在乎。

即使來到警署，阿龍還是擺著那個模樣——我就是這個樣子了，你能拿我怎麼辦呢？父親來到警署為阿龍辦理手續，看到阿龍這個樣子，沒好氣多加責罵。整個警司警誡過程，他都沒有太大印象，只是覺得好煩，想快點完事回家。

那時候，阿龍的世界沒有對與錯，只有他喜歡和不喜歡，更不會考慮別人的感受。所以做了多狂妄的事，他都不會感到自己有錯。

讓少年真正知錯的，只能等待下一場更深刻的教訓。

更錯的錯

那次杯麵事件，沒有讓阿龍反思，反而因為連警署也進過了，膽子變得更大，情緒管理也愈來愈差。少年時期的阿龍，生活可以用「為所欲為」來形容。在學校，阿龍不只常常打架，自中一起，更會偷同學的手提電話變賣。阿龍出身小康之家，家裡沒有經濟壓力，只是他覺得要開口問經常罵他的母親拿錢很煩，所以便去偷東西換錢花費。同樣地，他沒有思考過代價，只是見朋友偷得輕鬆，他便一起偷。起初是偷班上同學的手機，別人放在抽屜，他便趁小息去偷；又曾在禮堂，眼見別人放著書包不管，他便潛手去拿。如是者，偷了接近二十部手機，都沒有被人發現。比起要錢，他覺得偷東西更好玩。當時有兩個朋友，和他一起在學校偷竊，後來在學校偷多了，風聲漸緊，便轉到街外的運動場去。很輕易地，每次去玩，只要偷幾部電話，便有足夠的本錢吃喝。

　　　　任性

有一次，三個貪玩的男孩子覺得偷東西玩悶了，有人提議要刺激一點，不如去搶！阿龍沒想太多便答應了。那一夜，他們在大牌檔飲飽吃醉了，便興奮地商討策略，怎樣才能成功，又不會被人發現。首先要找一個僻靜的地點，找一個容易下手的目標，然後分工合作把對方的手機搶過來。

他們看準那些一個人走在路上，而且看上去不太健壯的人，即使對方想追上，也不夠他們跑；又計劃三個人當中，一個人負責把風，另一個人挑釁目標，然後最後一個人負責搶。他們當中，「膽子最大」的阿龍負責假意撞到目標，然後故意口角，引開他的注意力。但其實那兩位朋友看中阿龍不會多想，才給他擔當這個最容易被認出，也最容被捉住的角色。

計劃好之後，三人便走到黃大仙一座天橋，等待那個不幸的目標人物。那晚大約十時，他們看中了一個年約三十歲的女人。阿龍路過時撞到她肩上，並喝罵對方，那個女人呆了，另一人便衝上前搶了女人手上拿著的手機，三人拔腿就走，果然成功了。

如是者，他們膽子更大，挑的地點也更隨意。他們以為自己跑得夠快，一定可以走掉，結果第三次，結果便不一樣。

這一晚，他們看中了一個男人，便重施故技，把電話搶到手就走。那男人馬上大叫：「搶嘢呀！」阿龍逃走時，那路口剛好有人走過，聽到呼叫聲，立即把阿龍壓住，當場把他制伏並報警。

阿龍再次踏進警署，今次的感覺卻很不一樣。

　　　任性

知錯能改

上次被捕，他心中有數，還作了幾天心理準備，所以不怎麼害怕。今次卻是突如其來被捉到，他從來沒有想過會被捕，更沒有想過刑罰和後果，這一次他真的從心底怕了起來。

被送到警署後，得知需要羈留，阿龍才明白事情沒有上次那麼輕鬆。那一晚在羈留所，阿龍看見了甚麼是後悔。

羈留所內，有歲數與他差不多的年青人，那些人神情頹喪，坐在一旁抱膝而哭。其中一個人因販毒而被捕，可能要面對十年甚至更長的刑期。那人痛恨自己為何當初沒有想清楚後果，邊說邊哭，又自責從前心存僥倖，最終失去自由，想到家人也慚愧不已。阿龍聽著，覺得自己何嘗不是如此。這些後悔的聲音，深深刻在阿龍的腦海中。

那一晚，他有生以來，第一次反思自己所做的事。

入夜後，阿龍躺在羈留所的板床上，想起剛才那人對父母的懺悔，他也想起自己的家人。如果自己要入獄，父母一定傷心不已。那一刻，阿龍才第一次在心中面對父母對他的失望。其實他一直用反叛來逃避，學習能力不高的自己，無法成為一個別人心中成績理想的好孩子。這一天，在寂靜的羈留所，阿龍終於正視父母對他的關懷與付出，他的心被刺痛，悄悄地流淚。

落口供等程序弄了差不多兩天，阿龍把事件的始末告訴了警方。警方從阿龍的手提電話訊息，查到了另外兩名同黨，他們同樣被捕。還押期間，阿龍終於見到家人。阿龍以為，母親會像過往一樣，把他痛罵一番。而他已準備好不再如過往一樣，今次要真心誠意地接受指責。然而，他想不到，這次母親沒有一句責罵，只是與他無言對望而哭。阿龍知道，母親的心碎了。

阿龍對母親說：「其實這裡幾好，沒有想像中難受，不要擔心。」

其實每一字都是反話，還押的每一天，他都度日如年。肅殺的氣氛和冰冷的牆壁，都讓他感到窒息。吞下那些無味的飯菜時，他真切感到，自己已成為一個階下囚。

媽媽哭著對他說「努力」，便再泣不成聲。

阿龍被判入更生中心。重覆的生活、烈日當空的步操，都讓他感到很辛苦。以前他以為坐監只是進去看看電視、吃吃飯，原來真正坐牢的日子，是如此刻板枯燥。不僅不由得他像從前一樣放肆，甚至連坐姿、床單的摺法，都須要恪守指引時，他才明白失去自由的滋味。

讓阿龍最感動的，是家人依然對他不離不棄，即使路途遙遠，但父母依然堅持探望。阿龍暫時失去了自由，卻重獲親情。雖然更生中心離家很遠，他和家人的心，卻從未如此貼近。隨著在囚的日子過去，阿龍的決心一天比一天堅定，他決定日後不能再讓家人傷心。

為時未晚

八個月後,阿龍終於離開了更生中心。由於多次留班,阿龍只有中二學歷,在職業訓練學校中,只能選擇美容和髮型兩個科目。在福利官的安排下,他修讀了美容科。雖然美容並不是他的志向,但這是阿龍重返社會的一個過渡期,亦是讓他重新學習如何與人相處溝通的機會。起初,阿龍還是未能完全改變,與同學爭執口角,也有被老師責罰的時候,但現在的他,學懂虛心接受別人的意見,因為現在的他有了目標,想成為一個更好的人。

發生爭執後,他會與社工商量,社工姑娘教他如何表達情緒。阿龍慢慢學習到要以溝通表達自己,亦要用思考取代發脾氣。他明白到,很多事情,其實自己冷靜想一回,便可以化解。阿龍用心去改變多年的行為習慣,慢慢改變了一貫的脾氣,不再跟別人爭執,而是冷靜說出自己的感受,自此沒有再打架。

任性

與社工商量後，阿龍決定重回校園，先完成中六資格，讓自己有更多選擇。阿龍的目標是向金融或會計方向進發，現在他任職地產文員，邊工作邊進修，準備考取相關牌照。

今年母親節，阿龍用自己努力工作賺回來的金錢，買了一個手袋給母親。這個手袋，是阿龍工作儲了三個月買回來的，他看見媽媽的手袋已經很殘破，特意買了一個同款式的手袋。如今阿龍不單不會頂撞母親，更常常回家吃飯，行事變得踏實和有交帶。相信，阿龍的改變，就是媽媽期盼已久、最好的母親節禮物。

重新出發 v　　　119

支持者的話——文憑課程社工
了解與信任

我是阿龍就讀美容文憑課程的學校社工，認識他時他仍在守感化，當時他對社工還有戒心，起初有點神不守舍，眼睛經常四處張望，對身邊事物沒有安全感。後來在幾次勸慰下，他同意了與我定期見面，我便展開了輔導工作。

阿龍是一個個性內向的孩子，不懂得用言語表達自己，有時甚至會衝動用肢體動作表達不滿，情況讓人擔心。起初半年，我與他定期見面，但他仍是不太肯開口說話，直至有一次，他在學校上體育課時跟同學打架，他很擔心會影響感化報告，於是終於肯打開心扉跟我傾談。後來再和他討論，我幫助他協調和感化官之間的矛盾，慢慢便得到他的信任。

我了解到，原來阿龍對學習課程內容沒有太大興趣，有時因為遲到和出貓問題，又會被老師責備。有一次他影印同學的罰抄當是自己的，結果被老師發現了，又換來責罰。我了解到，無論是出貓還是偷竊，他的出錯很多時候是因為貪快，心急想完成事情，才會做了錯事。我便跟他說，不如放慢一點腳步，不要再思考捷徑，好好思考未來的路。阿龍也接受意見，願意學習用正當的方法，慢慢按著規矩解決問題。

感化令完結後，阿龍和我量商要不要繼續完成美容課程，那次的討論也令我覺得他比以前成熟了。他說自己年紀也比其他同學大，不想再花時間讀一個文憑課程，加上他對行業又沒有太大興趣。於是我也鼓勵他思考自己想行的路，他訂下了成為地產經紀的目標。他也努力搜查資料，計劃未來的路。我很欣賞他會開始懂得思考長遠的事情，而且願意從正途按部就班去實踐計劃，不再想旁門左道的方法。他告訴我他想報考公開考試，取得中六程度後再考經紀牌，我很驚喜他有自己的計劃，也看到他的上進心。

雖然之前他犯了事，在學校的兩年也很迷失，但其實那段時間也是幫助他去了解自己。希望他珍惜過往的經歷和反思，讓這些經歷沉澱成為智慧，助他繼續學習和成長。

「用鏡頭成為別人的祝福，
　以過往的經歷祝福其他人」
　　　　　　　　——朱輝

生活是一場障礙賽，
有些人的賽道平坦一點，
有些卻給安排了許許多多的障礙物，
一不小心便會失腳。
幸好，跌倒的時候，
如果有人及時扶一把，
我們仍然可以站起來，變得更強壯。
朱輝的半生碰碰撞撞，
在毒品這個絆腳石下，
一失足便丟了八年。

跌倒

顛沛的童年

朱輝懂事以來，第一個明白的病，不是感冒或咳嗽，而是癌症。媽媽在朱輝出生不久後便確診患癌，即使如此，風流的爸爸依然丟下他們四姐弟，和別的女人胡混。經過手術後，媽媽的病情時好時壞，為了四個兒女和不回家的老公，一個人經營生果檔支撐生計。

媽媽捱著病痛，日間努力工作，晚上常常和爸爸吵架。為了爸爸不給家用，也為了他外頭的女人，好幾次媽媽半身跨出窗外想要跳下去，四姐弟哭著把她抓回來。除了與媽媽爭執，爸爸也常常打朱輝。那時只得幾歲的朱輝，不了解爸爸為何討厭媽媽，但朱輝卻很喜歡媽媽。

小學三年班的某一天，朱輝再沒有見過爸爸回家。離婚後，媽媽更加勤奮持家。每天從清早工作至晚上八時，然後回家煮飯，照顧朱輝和三個姐姐。朱輝是家中最小的，與三家姐相差八歲。在他中學階段，幾個家姐已經工作。記憶之中，童年的味道是寂寞的。然而上中學以後，他開始在街上結識朋友，那裡是沒有煩惱的世界，與朋友一起，總是無憂無慮。雖然朱輝讀書成績不好，也像其他街上的少年一樣到處生事，但是，任他在外玩得多狂，每晚八時他一定趕回家，乖乖坐在母親面前，一家人齊整吃飯。

兒子都像父親，朱輝也有一個像爸爸的壞習慣，就是一有事便動手打人，任母親怎樣勸也不聽。十五歲時，因為留班和屢次打架，朱輝被學校停學，他決定照顧病情不穩定的母親，索性不再上學。

這一年特別多事。每年冬天，是生果店的旺季，從年尾各個節日的送禮果籃，至過年的年桔。搬運大量水果是非常辛苦的粗重功夫。旺季剛過去，累得發酸的媽媽突然右腳不能動彈，原來已是肝癌晚期，右腳神經被壓住了。不久以後，朱輝媽媽便結束了勞累的一生。

十五歲的朱輝，不知怎樣排解喪母之痛，終日與朋友浪蕩去忘記苦悶，更在十七歲的暑假因為打架生事被判入更生中心。離開更生中心後，他斷斷續續完成了中五課程，會考零分，不知前路如何。朱輝心想，媽媽不在了，家姐各自有了家庭，自己再沒有人管，日子便更隨便地過。

忘記當下以後

中五畢業後，朱輝無所事事，便終日和朋友聚在一起。日子看似快活，其實朱輝的心裡既孤單又焦慮，不知自己可以做甚麼，看不見明天。與朱輝一起打發日子的朋友常常吸毒，起初，朱輝聽過「毒品害人」，堅持不肯嘗試，但眼見這些朋友，有些已經吸食了好幾年，也不見有任何異樣，便覺得那些警告只是騙人的話。

試過第一口「K仔」以後，朱輝當下便明白了，為甚麼人們會那麼渴望毒品。冰毒會讓人精神亢奮，可卡因會讓人產生幻覺，而朱輝喜歡「索K」。因為氯胺酮本來是麻醉藥的一種，索了K後，彷彿一切生存的知覺都沒有了。所有煩惱被癱瘓，沒有回憶也沒有未來，只剩下空白的當下。

接下來的日子，朱輝的生命彷彿只為氯胺酮而活。他雖找到一份不錯的工作，當私人屋苑的救生員，但所有薪金都用來買毒品。由於救生員工作性質之便，他工作的時候只須坐在看台，淺水池少有意外，工作場所也沒有同事，他便在日間工作時間不停吸毒，從早到晚也迷迷糊糊。

好幾次，因為吸食劑量太多，他找不到家門，要保安員為他聯絡家人。他又因為不清醒而在家中大吵大嚷，同住的姐姐與姐夫甚至不停用冷水潑他的頭，還是無法把他叫醒。朱輝心知自己讓家人在鄰舍之間受盡白眼，成為家人的負擔，朱輝感到十分矛盾。每當他感到內疚，便一次又一次希望戒毒，然而毒癮太深，不消幾天又回到之前的模樣。

朱輝的生活，就是毒品和毒品帶來的問題。因為吸食毒品，在經濟和生活上為他帶來無窮壓力，甚至好幾個交往過的女孩，都因為毒癮問題分手。每一天好像更加看不見希望，為了忘記這些苦痛，他卻又只能再拿起毒品。

他笑問上天：為甚麼止痛藥正是痛楚的來源？

未來的模樣

原本他以為只是被禁毒廣告誇大的症狀，在他和朋友的身上一一浮現。無法排尿、膀胱疼痛只是開始。由於鼻腔受損，鼻水隨時在別人面前直接滴下來，體重暴跌，臉上像塗了一層灰。這樣不似人形，朱輝無法再有正常的社交生活，連親人也漸漸少見。後來更開始出現被迫害的幻覺，連在巴士站有人走近，他也覺得對方想殺掉自己，生活幾乎完全毀掉。最後，弄至身無分文，吸了最後一口，只剩幾元坐車回家。

朱輝問自己，為甚麼要這樣受折磨。他試過執好行李準備入住戒毒村，但最後仍不夠決心踏出那一步。

毒癮深的人，一旦暫停接觸毒品便會脾氣暴躁，朱輝多次因為打架傷人而被捕。起初是警司警誡，後來是感化令，這一次更要還押監房。

活了這麼多年，朱輝從未曾看見自己的未來。但這一次，他在這裡看到他的「未來」。

在收押所，有專門收押有毒品問題的犯人的監房。因為毒癮深的人需要特別看顧，免得他們毒癮發作時發生意外。朱輝看到裡頭，有一張幾塊床墊連成的床鋪，供「典癮」的人滾來滾去，上面早已有各人失禁的排泄物。但被毒癮折磨的人仍只能躺上去，按著痛處，在排泄物之上翻來覆去。那些人大約只是四五十歲，然而牙齒都脫光了，不能吃東西，當然，他們也沒有心思吃飯，他們只想吸毒。

朱輝心想，自己十年後，會否就是這個樣子？實在太恐怖了，那一天，他決定無論如何，都要戒毒。

朱輝誠懇地向感化官說，即使刑期比普通監房長，他仍很想申請入戒毒村。最後法官接納感化官的建議，讓朱輝到戒毒村去。

這一次，朱輝真的很想改變自己的未來，然而撫心自問，他沒有信心可否做到。

再一次跌倒

那是一個福音戒毒機構，戒毒村的日子很有規矩，清早起來讀聖經，下午工作和上課，晚上有道理分享和查經班，不許外出。精力旺盛的朱輝，獲編排到種田的工作，又在村裡學習攝影和影音製作課程。朱輝漸漸習慣清簡的生活，也喜歡聖經的道理，在聖經故事中，他感受到光明和希望。

朱輝喜歡這份平靜感覺，在平淡的日子裡，他沒有再想及毒品，朱輝覺得自己已經遠離了毒海，他為這改變感到安慰。可是，毒品這魔鬼，卻在冷不防的暗處等著機會拉你的腿⋯⋯

在戒毒所的第十個月，他不慎跌傷。除了特別情況外，戒毒中的學員一般不允許外出，這次因為受傷，朱輝由經歷過戒毒的師兄陪同他外出求診。過了差不多一年，重新接觸外面的世界的朱輝，不禁想見見從前的朋友。同時間，原來那位師兄，暗地裡已重返毒海，二人便打算借看醫生的機會，偷偷把少許毒品帶回宿舍。朱輝心想，反正只是少許，不會礙事。

也許十個月的時間，還不夠改變差不多十年的惡習。可能在潛意識裡，毒品仍是生活中的平常事物，只是少許也沒所謂。他不會想到，很多人正是因為這少許，再少許，無數的少許下來，便是另一個深淵。

就這樣，拿著少許毒品，二人準備回戒毒村。他卻沒有想到，這一趟路程，會是改變他一生的一幕。

等候小巴途中，有一位小女孩看見他腿上打了石膏，便和他答話起來。

女孩問：「哥哥，你的腳為甚麼這樣？」

朱輝說：「因為跌倒了。」

女孩：「你痛嗎？」

朱輝：「當然痛呀。」

然後，女孩答說：「既然痛，為甚麼你要跌倒呢？」

朱輝當刻不以為然，對女孩微笑道別，便上車回去。

回到戒毒所，朱輝一心期待毒品的滋味。然而他和師兄剛進門口，便被院長搭著肩讓他們去談話。原來，師兄重新吸毒的事早被懷疑了，今次和朱輝被逮個正著。朱輝承認了事情，向院長道歉，並說希望留下來，願意接受任何懲罰。朱輝被加長了住村期，院長鼓勵他，要在戒毒的路上努力。事件雖然解決了，但朱輝的心中仍是懊惱，自己原來是這樣脆弱。

到晚上，如常進行道理分享班。那一晚，他聽到詩歌中的一句：「他雖失腳，也不至全身仆倒，因為耶和華用手攙扶他。」

朱輝的心似被一道閃光擊中一樣，他突然想起今早那個女孩的話，眼淚便不止的湧出：既然知道痛，為甚麼要跌倒呢？既然因為毒品而痛苦，為甚麼又要再自尋苦海？那不是自己正在做的蠢事嗎？這一句「他雖失腳」，像神蹟般的巧合，有如呼應了小女孩的話，像是上天特意對他的提醒。朱輝想起，即使他犯錯，自己仍然沒有被家人和信仰放棄，即使他三番四次讓自己犯錯，家人仍然願意一次又一次在旁扶持，想到這裡，朱輝像個小孩一樣嘩一聲狂哭。那是抑壓已久的、內疚的、慚愧的，也是感動的淚水。

那一天以後，只要站在地上，他便告訴自己，不可以再跌倒。

成為他人的奇蹟

那天以後，朱輝用時間證明自己能堅持戒毒，不但在所內行為良好，完成住村期後，他繼續留在戒毒村工作了兩年多，保持簡單的生活。離開戒毒村後，他用學習到的攝影知識，和幾位過來人一起組織攝影隊。起初主要拍攝禁毒短片，後來經過介紹，他成為了幾間中學校園電視台的導師，除了教授學生拍攝技巧，也分享他過去的經歷，希望年青人不要走他的舊路。

今年朱輝已經三十多歲，這幾年來，他沒有再碰毒品。朱輝希望，用自己過往經歷，祝福別人的未來。他會義務為社福機構拍攝微電影，及後建立了小媒體公司，希望藉媒體的力量，幫助其他跌倒的人。他相信，或許某一句不經意的說話，會在某一天改變一個人的選擇。

十年前的朱輝，沒有想過會有屬於自己的家庭，今天，他準備向女朋友求婚。從一個人的苦痛，變成兩個人的快樂。原來，當人找到正確的方向，便會走到幸福的路，生活不需要止痛藥。

重新出發 V　　135

支持者的話——家姐
始終也是一家人

我們家有四姐弟，朱輝是最細的弟弟，我是他的二家姐，我們的爸爸媽媽離了婚，媽媽也很早過身，媽媽在生時工作很忙，我們幾個姐弟年紀差距又大，弟弟從小便沒有很好的照顧，可能因為這樣，他結識了壞人，常常打架，更染上了毒癮。

最初我和丈夫跟弟弟一起住，曾在廁所發現一些小包的粉末，我還以為是防腐劑。後來見到有些捲著的銀紙，我先生才告訴我，這些是吸毒的工具，那時真的是又擔心，又生氣！問他又不肯認，我們也不知如何是好。後來他更常常不回家，知道他去向的時候，已經是犯了事，我和家姐立即去替他保釋，很心痛弟弟變成這樣。記得第一次去西貢壁屋探望他，和大家姐三個人哭成一團，非常傷心，朱輝也哭著說他會改過。我們也相信他會變好，便等他出來。

但是他進進出出監房很多次了，雖然每次也說會改過，但還是有下一次。有一天深夜，有八個反黑組來家裡找他，說他跟人打架。那一次我真的心灰意冷，雖然很失望，但還是去監房探他。因為弟弟沒有其他親人，只有我們幾個家姐，我們不理他，誰理他呢？

而他吸毒的事，也為我們生活帶來很大的困擾。有時他會在晚上大叫，嚇到我的小孩。又會叫朋友到家中一起吸毒，勸也不聽。有時吸毒吸到不知在發生甚麼事，我先生用冷水淋他也不醒。跟吸毒者相處，內心有時真的很累。我們有想過不如趕他走，但每次他還是會跟我們講對不起，我也還是心軟。始終因為親情，不能放棄他，幾個家姐還是希望有一天他會回頭是岸。

後來，他跪在媽媽的地主前面說會改，又終於肯進戒毒村，我們才覺得守得雲開。起初還不敢相信他真的變好了，也算做些心理準備他會變回從前吧。可是幸好，幾年下來他也真的信守諾言，沒有再吸毒，也在過著正常人的生活。我和姐妹真的很開心，希望他可以繼續健康幸福地生活。

「重新出發」青年嘉許計劃簡介

香港青年協會青年違法防治中心舉辦「重新出發」青年嘉許計劃，旨在表揚和嘉許勇於改過自新、重新振作，願意以積極態度投入社會的青少年；同時亦希望藉著他們的故事，勉勵其他青少年奉公守法，建立健康人生。

青少年能成功改變過來，總有一些原因。除家人的支持、社工的引導外，往往還包括工作和進修機會、外界的接納等。我們希望藉此計劃，引起社會人士對邊緣青少年的關注，並期望能為他們提供更多機會，讓他們重新出發。

複選評審

潘俊彥會長	荃灣獅子會
施禮賢副會長	荃灣獅子會
崔永康教授	香港城市大學社會科學及行為學系
李建文校長	天主教慈幼會伍少梅中學
陳文浩先生	香港青年協會副總幹事

初選評審

荃灣獅子會	香港青年協會
阮駿暉獅友	香港青年協會單位主任李樂民先生
李月娥獅友	香港青年協會青年工作幹事何淑儀女士
趙豪文獅友	香港青年協會青年工作幹事彭子晴女士
葉銘基獅友	香港青年協會青年工作幹事陳詠揚先生
	香港青年協會青年工作幹事孔德穎女士

香港青年協會 (hkfyg.org.hk｜m21.hk)

香港青年協會（簡稱青協）於1960年成立，是香港最具規模的青年服務機構。隨著社會瞬息萬變，青年所面對的機遇和挑戰時有不同，而青協一直不離不棄，關愛青年並陪伴他們一同成長。本著以青年為本的精神，我們透過專業服務和多元化活動，培育年青一代發揮潛能，為社會貢獻所長。至今每年使用我們服務的人次達600萬。在社會各界支持下，我們全港設有80多個服務單位，全面支援青年人的需要，並提供學習、交流和發揮創意的平台。此外，青協登記會員人數已逾45萬；而為推動青年發揮互助精神、實踐公民責任的青年義工網絡，亦有逾23萬登記義工。在「**青協·有您需要**」的信念下，我們致力拓展12項核心服務，全面回應青年的需要，並為他們提供適切服務，包括：青年空間、M21媒體服務、就業支援、邊青服務、輔導服務、家長服務、領袖培訓、義工服務、教育服務、創意交流、文康體藝及研究出版。

青協網上捐款平台

Giving.hkfyg.org.hk

青協青年違法防治中心簡介

香港青年協會致力培育青年知法、守法。「青年違法防治中心」透過轄下地區外展社會工作隊、深宵青年服務及青年支援服務，就邊緣及犯罪青少年經常面對的三大問題，包括「犯罪違規」、「性危機」及「吸毒」，提供預防教育、危機介入與評估，以及輔導治療；另外亦推動專業協作及研發倡導。「青法網」和「違法防治熱線81009669」，為公眾提供青少年犯罪違規的資訊和求助方法。青協於上環永利街亦為有需要的青少年提供短期住宿服務。

荃灣獅子會及荃灣獅子會慈善基金簡介

荃灣獅子會由60名來自不同界別的社會賢達所組成，積極推動慈善項目造福人群。為進一步發展善業，特別創立荃灣獅子會慈善基金（下稱本會）。

本會旨在為社會上不同需要之人士提供適切援助及服務，締造美好社群。本會凝聚來自不同行業、熱心公益之社會賢達，共同為建設美好香港而努力，並積極響應國際獅子總會。

4大服務方向，包括：
1 保護環境　2 鼓勵青少年參與　3 救助飢餓　4 分享視覺

重新出發 V

出版	:	香港青年協會
訂購及查詢	:	香港北角百福道21號 香港青年協會大廈21樓 專業叢書統籌組
電話	:	(852) 3755 7108
傳真	:	(852) 3755 7155
電郵	:	cps@hkfyg.org.hk
網頁	:	hkfyg.org.hk
網上書店	:	books.hkfyg.org.hk
M21網台	:	M21.hk
版次	:	二零二零年七月初版
國際書號	:	978-988-79951-5-9
定價	:	港幣90元
顧問	:	何永昌
督印	:	陳文浩
編輯委員會	:	李樂民　陳詠揚　黃潤森　麥麗儀
鳴謝	:	潘俊彥　施禮賢　崔永康　李建文
執行編輯	:	周若琦
實習編輯	:	黃信安　蘇穎彤　張穎彤
撰文	:	朱鳳翎
設計及排版	:	徐錦麟
製作及承印	:	在地文化

Turning Point V

Publisher	:	The Hong Kong Federation of Youth Groups 21/F, The Hong Kong Federation of Youth Groups Building, 21 Pak Fuk Road, North Point, Hong Kong
Printer	:	在地文化
Price		HK$90
ISBN		978-988-79951-5-9